ISBN 978-1-334-53185-9
PIBN 10638899

This book is a reproduction of an important historical work. Forgotten Books uses
state-of-the-art technology to digitally reconstruct the work, preserving the original format
whilst repairing imperfections present in the aged copy. In rare cases, an imperfection in
the original, such as a blemish or missing page, may be replicated in our edition. We do,
however, repair the vast majority of imperfections successfully; any imperfections that
remain are intentionally left to preserve the state of such historical works.

1 MONTH OF
FREE
READING

at

www.ForgottenBooks.com

By purchasing this book you are eligible for one month membership to ForgottenBooks.com, giving you unlimited access to our entire collection of over 700,000 titles via our web site and mobile apps.

To claim your free month visit:

www.forgottenbooks.com/free638899

English
Français
Deutsche
Italiano
Español
Português

www.forgottenbooks.com

Mythology Photography **Fiction**
Fishing Christianity **Art** Cooking
Essays Buddhism Freemasonry
Medicine **Biology** Music **Ancient
Egypt** Evolution Carpentry Physics
Dance Geology **Mathematics** Fitness
Shakespeare **Folklore** Yoga Marketing
Confidence Immortality Biographies
Poetry **Psychology** Witchcraft
Electronics Chemistry History **Law**
Accounting **Philosophy** Anthropology
Alchemy Drama Quantum Mechanics
Atheism Sexual Health **Ancient History**
Entrepreneurship Languages Sport
Paleontology Needlework Islam
Metaphysics Investment Archaeology
Parenting Statistics Criminology
Motivational

OSMAN PASCHA,

DER LETZTE GROSSE WESIER BOSNIENS, UND SEINE NACHFOLGER.

ZUR KUNDE DER

BALKANHALBINSEL.

REISEN UND BEOBACHTUNGEN.

HERAUSGEGEBEN VON

DR. CARL PATSCH,

LEITER DES BOSN.-HERCEG. INSTITUTS FÜR BALKANFORSCHUNG
IN SARAJEVO.

HEFT 9

MED. DR. JOSEF KOETSCHET,

OSMAN PASCHA,

DER LETZTE GROSSE WESIER BOSNIENS, UND SEINE NACHFOLGER.

VERÖFFENTLICHT VON JUR. DR. GEORG GRASSL.

SARAJEVO 1909.
DRUCK UND VERLAG VON DANIEL A. KAJON.

OSMAN PASCHA,

DER LETZTE GROSSE WESIER BOSNIENS,
UND SEINE NACHFOLGER.

HINTERLASSENE AUFZEICHNUNGEN

VON

MED. DR. JOSEF KOETSCHET.

VERÖFFENTLICHT VON

JUR. DR. GEORG GRASSL.

SARAJEVO, 1909.
DRUCK UND VERLAG VON DANIEL A. KAJON.

Der nachfolgende Beitrag zur jüngsten Geschichte Bosniens und der Hercegovina, den wir nach der hervorragendsten der darin behandelten Persönlichkeiten, dem tüchtigen, 1860—1869 die beiden Länder verwaltenden Generalgouverneur Scherif Osman Pascha, benannt haben, bildet den ersten Teil von Dr. Josef Koetschets hinterlassenen Aufzeichnungen »Bosnien-Hercegovina vom Jahre 1863 bis zur Okkupation. Historische Erinnerungen.« Der zweite Teil, der Zeit vom Mai 1874 an gewidmet, ist bereits als 2. Heft dieser Sammlung unter dem Titel »Aus Bosniens letzter Türkenzeit« erschienen. Die auffallende Abfolge erklärt sich aus dem Grundsatze, den wir uns bei der Veröffentlichung zeitgenössischer Memoiren zur Richtschnur gemacht haben: Es wird nach dem Vorbilde Leopold von Rankes in dessen »Serbien und die Türkei im XIX. Jahrhundert« eine möglichst weitgehende Nachprüfung erstrebt. Bei dem zweiten, jüngeren Abschnitte waren die Einvernahme von Zeugen und die Beschaffung von Zeugnissen leichter und schneller ausführbar. Für die ältere Periode häuften sich dagegen aufhaltende Schwierigkeiten, die zum nicht geringen Teil in der bis jetzt fast völligen Vernachlässigung der unsere türkische Zeit betreffenden Archivalien lagen. Nun ist auch auf diesem heimischen Forschungsgebiete ein Fortschritt erzielt worden. Unter der Einwirkung des Bosn.-herc. Institutes für Balkanforschung ist man daran, die in beiden Ländern zerstreuten und im Privatbesitze oft arg misshandelten Dokumente auf mehreren

Stellen zu sammeln, wobei ein grosses Verdienst dem Bibliothekar an der Kaiser-Moschee in Sarajevo, Scheich Seifudin Fehmi Kemura, zukommt, dessen Gedächtnis allein ein Archiv bedeutet.

Unser Verhältnis zum Manuskripte Dr. Koetschets haben wir schon in dem Geleitworte zu der ersten Publikation dargelegt. Hier sei nur beigefügt, dass wir seitdem noch eine »im November 1897«, also 8 Monate vor dem am 22. Juli 1898 erfolgten Tode des Chronisten der ausgehenden ottomanischen Zeit, datierte eigenhändige Reinschrift der »Erinnerungen« erhalten haben, die aber nur bis zu dem in unserem ersten Hefte auf S. 59 erzählten Rückzuge des Fürsten Nikolaus von Nevesinje und dem Eintreffen Muktar Paschas in Mostar reicht. Sie unterscheidet sich von der Urschrift durch stellenweise Kürzungen und kleine Berichtigungen und Ergänzungen. Die letzteren wurden natürlich auch von uns berücksichtigt, aber auch von den später gekürzten Stellen nahmen wir auf, was uns für die Geschichte der Halbinsel oder zur Charakteristik der vorgeführten Persönlichkeiten von Bedeutung erschien.

Um die Benützung der beiden ein zusammenhängendes Ganzes bildenden Publikationen zu erleichtern, schliessen wir ein einheitliches Namenverzeichnis bei.

Sarajevo, im Februar 1909.

G. Grassl.

OSMAN PASCHA,

DER LETZTE GROSSE WESIER BOSNIENS,
UND SEINE NACHFOLGER.

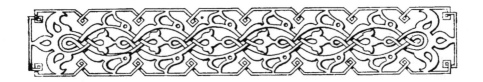

I. Scherif Osman Pascha (1860—1869).

Im Frühlinge 1861 kam ich zum erstenmal nach Bosnien. Ich war damals Leibarzt des Serdars Ekrem Omer Pascha, des ehemaligen österreichischen Grenzerfeldwebels Michael Lattas, dem nun die Aufgabe zugefallen war, als Muschir des III. Armeekorps und Oberbefehlshaber von Bosnien und der Hercegovina den Aufstand der christlichen Hercegoviner längs der montenegrinischen Grenze zu unterdrücken.[1]) Ich empfand sofort eine grosse Zuneigung für dieses Land, das mich mit seinen anmutigen Bergen, grünen Tälern und klaren Quellen so sehr an meine teure schweizerische Heimat erinnerte. Doch war mein Aufenthalt nur von kurzer Dauer, da ich dem General in die heisse, steinige Hercegovina folgen musste. Allein nach Beendigung des mit der hercegovinischen Insurrektion verknüpften Feldzuges gegen Montenegro[2]) erhielt ich von dem Wali (Generalgouverneur) von Bosnien und der Hercegovina Scherif Osman Pascha den hochwillkommenen Antrag, die neugeschaffene Stelle eines Stadt- und Polizeiarztes in Sarajevo zu übernehmen. Meine Ernennung erfolgte anfangs Dezember 1863. Ich erbat und erhielt jedoch noch einen viermonatlichen Urlaub zur Abwicklung meines Dienstes in Mostar, der gewöhnlichen Residenz Omer Paschas, und zu einer Reise nach der Schweiz. In den ersten Tagen des Mai 1864 traf ich zu dauerndem Aufenthalte in Sarajevo ein, und nie werde ich den sympathischen Empfang vergessen, der mir von Seite der Bevölkerung und der türkischen Behörden zuteil wurde.

---

1) Vgl. Koetschet, Erinnerungen aus dem Leben des Serdar Ekrem Omer Pascha 133 ff.
2) A. a. O. 183 ff.

Im Gegensatze zu der ernsten Stadt M o s t a r, die noch unter den Nachwehen des kaum erstickten Aufstandes litt, erschien mir S a r a j e v o mit seiner Umgebung wie ein paradiesischer Garten. Tiefer Friede im Lande, Handel und Wandel blühten, die Bevölkerung erfreute sich einer unverkennbaren Wohlhabenheit und lebte in leidlichem konfessionellen Frieden — es war, wie heute noch gar viele alte Leute sagen, die schöne Zeit Osman Paschas.

O s m a n P a s c h a[1]) war damals schon ein angehender Sechziger, beleibt, krummbeinig und infolge einer Schusswunde etwas hinkend, wovon er den Spitznamen »Topal« führte. Sein Gesicht trug den Stempel der Gutmütigkeit, doch verrieten die kleinen beweglichen Augen Klugheit. In der persischen, arabischen und türkischen Literatur sehr bewandert und auch als türkischer Dichter geschätzt, hatte er als Seeoffizier und später im Verkehr mit Konsuln etwas Französisch sich angeeignet. Oft machte er sich den Spass, in griechischer Sprache Fabeln von Aesop ganz geläufig zu rezitieren, die er in seinen Jugendjahren in J a n i n a von einem griechischen Geistlichen gelernt hatte.

Er war der Sohn eines anatolischen Paschas, der es zum Untergouverneur verschiedener Provinzen gebracht hatte, und schlug zunächst die Marinelaufbahn ein. Zur Zeit der Thronbesteigung des Sultans A b d u l M e d s c h i d (1839) war er als Konteradmiral mit der türkischen Flotte unter dem Befehl des Kapudan Paschas A h m e d F e w s i in den D a r d a n e l l e n. Die Kunde von der Erhebung des alten C h o s r e w P a s c h a zum Grosswesier bewog den diesen grimmig hassenden Kapudan Pascha, die Flotte M e h m e d A l i P a s c h a von Ägypten auszuliefern. Da eine französische Eskader den Eingang der Dardanellen überwachte, wurde unser O s m a n P a s c h a zum Admiral L a l a n d e entsendet, um ihn über den Zweck der Abfahrt zu beruhigen, indem vorgegeben wurde, dass der Kapudan Pascha, da von dem russenfreundlichen Grosswesier alles zu befürchten sei, die Flotte vor moskowitischen Gelüsten zu schützen beabsichtige. O s m a n P a s c h a blieb auch nach dem Friedensschlusse noch einige Jahre

---

[1]) Vgl. über ihn jetzt auch Fra Orga Martić, Zapaméenja 43 ff.

in Ägypten, wo er von dem Vizekönig sehr geschätzt wurde. Nach der Amnestierung der Überläufer kehrte er aber nach Stambul zurück und trat, da er in der Marine nicht mehr dienen konnte oder wollte, in den Zivildienst ein. Im Jahre 1858 finden wir ihn als Zivilgouverneur in Belgrad, wo er durch seine Tätigkeit und seinen Takt die Aufmerksamkeit des Grosswesiers Ali Pascha auf sich zog, der ihn i. J. 1860 als Generalgouverneur nach Bosnien und Hercegovina entsandte.

Der beste Beweis, dass Topal Osman Pascha ein tüchtiger Administrator war, dass seine Verwaltung Bosniens als eine Glanzzeit gelten darf, ist schon durch die Tatsache erbracht, dass er volle neun Jahre, von 1860 bis 1869, auf seinem hervorragenden Posten wirkte, was noch keinem seiner zahlreichen Vorgänger, den berühmten Gasi Hussrew Beg allein ausgenommen, vergönnt war[1]). Und auch nach ihm haben in der kurzen Zeit von 1869 bis zur Okkupation nicht weniger als zwölf Wali einander abgelöst!

Nicht mit Unrecht glaube ich Osman Pascha mit Ludwig XI. von Frankreich vergleichen zu können. Wie dieser die unbändigen Feudalherren durch alle erdenklichen Mittel auszurotten oder doch unter seine Macht zu bringen bestrebt war, so verfolgte Osman Pascha das unverrückbare Ziel, die bosnischen Beg ihres Einflusses zu entkleiden, um dadurch die Autorität der Regierung zu stärken. Die bosnischen Feudalherren waren seit einigen Jahren aus der Verbannung, in die sie mein früherer Chef Omer Pascha nach dem Aufstande der Jahre 1850—51[2]) hatte abführen lassen, in ihre Heimat zurückgekehrt, hatten aber nichts vergessen und nichts gelernt. Die Taktik Osman Paschas bestand nun darin, ihnen ihren früheren Nimbus beim Volke zu nehmen. Zu diesem Behufe wurden viele derselben in öffentliche Ämter eingesetzt und schon dadurch bei der Bevölkerung ihres altererbten Ansehens und Einflusses beraubt. Auf der anderen Seite war Osman Pascha bestrebt, das Bürgertum zu heben, um es dem Adel entgegenstellen zu können. So wurde er der Patron

1) Vgl. die Statthalterliste Wissenschaftliche Mitteilungen aus Bosnien und der Hercegovina II 344 ff.
2) Vgl. Erinnerungen 19 ff.

der Kaufleute und kleinen Industriellen, die er mit Rat und Tat unterstützte, so insbesondere die Zunft der Kupfer- und Messerschmiede. Überhaupt verstand es O s m a n   P a s c h a, die halsstarrigen Sarajli[1]) wenigstens dem äussern Anscheine nach für die Regierung zu gewinnen. Seit den fünfziger Jahren grollten die bosnischen Moslim mit der Regierung, pflegten so wenig Verkehr wie nur irgend möglich mit dem Konak,[2]) und oft wurde mir erzählt, dass die hiesigen moslimischen Kaufleute den höheren Beamten, die sich in der Tscharschi[3]) zeigten, ostentativ den Rücken kehrten und sich mit irgend etwas zu tun machten, um nur den verhassten Osmanli nicht grüssen zu müssen.

Ein besonderes Augenmerk richtete O s m a n   P a s c h a auf die Erziehung der Jugend durch die Schulen, die unter seiner Verwaltung einen bis dahin kaum geahnten Aufschwung nahmen. Abgesehen von den in allen Stadtvierteln zahlreich eingestreuten Mekteb, welche den religiösen Unterricht der moslimischen Jugend vermittelten, errichtete er in S a r a j e v o eine Kiraethane,[4]) eine Ruschdije[5]) und die Fachschule Mektebi Hukuk zur Fortbildung von Beamten. Aus den beiden letztgenannten Anstalten gingen die meisten der hiesigen Moslim hervor, welche als fähige Beamte auch nach der Okkupation in ihren Stellungen belassen wurden. Der Endzweck aller dieser Schulen aber war, die moslimische Bevölkerung von S a r a j e v o zu stambulisieren, d. h. so viel wie nur irgend möglich zu Osmanli zu machen.

Kamen diese Anstalten also den Mohammedanern zugute, so hemmte O s m a n   P a s c h a auch nicht die Entwicklung der christlichen konfessionellen Schulen, die damals besonders von den Orthodoxen gepflegt wurden; hatten sie doch in Sarajevo schon im Jahre 1863 neben einer Knabenelementarschule auch ein Untergymnasium. Die katholische Pfarrschule der Franziskaner, die damals der Dichter F r a   G r g a   M a r t i ć leitete,[6]) erhielt von der Regierung eine jährliche Subvention, und für

---

1) Bewohner von Sarajevo.
2) Regierungsgebäude, im übertragenen Sinne Regierung.
3) Handelsviertel, Basar.
4) Lesehalle.
5) Bürgerschule.
6) Vgl. Zapaméenja 76 ff.

.Mädchen aller Glaubensbekenntnisse errichtete der Staat selbst in dem Stadtviertel B i s t r i k eine Elementarschule, welche denn auch tatsächlich nicht nur von moslimischen, sondern auch von orthodox-christlichen Mädchen stark besucht wurde. An dieser Anstalt wirkte mit anerkanntem Erfolge die orthodoxe Lehrerin S t a k a H a d ž i d a m j a n o v i ć. Für das Treiben der Lehrer, junger begeisterter Slawen von auswärts, hatte aber O s m a n P a s c h a ein wachsames Auge. Da sich die Regierung die Schulen zu kontrollieren erlaubte, gab es Anlass zu lauten Wehklagen über türkische Bedrückung usw.

Bei der Begova-Moschee in Sarajevo liess der Wali eine Bibliothek arabischer, persischer und türkischer Werke errichten. Auch eine Wilajetsdruckerei wurde von ihm ins Leben gerufen, die Schulbücher,[1]) den Amtskalender »Selname Bosna« und die Wochenzeitungen »Bosna« und »Gjulschen Saraj — Sarajevski cvjetnik« herausgab, diese in türkischer und serbischer Sprache. Die »Bosna« diente als Amtsblatt.

Es sei auch notiert, dass Osman Pascha von dem grossen Kalligraphen H a š i m E f e n d i j a Š e h o v i ć um 20.000 Groschen (3333 K 33 h) einen prächtigen Koran anfertigen liess, den er als Weihgeschenk nach M e d i n a sandte.

Wie bereits oben angeführt, erfreute sich Bosnien bei meiner Ankunft in S a r a j e v o eines tiefen Friedens und günstiger wirtschaftlicher Verhältnisse. Das Land war durch die traurigen kriegerischen Ereignisse der Jahre 1860—1862, die allein auf dem Schwesterlande Hercegovina lasteten, materiell nur wenig geschädigt worden. Bloss die Viehseuche, welche im Jahre 1862 das Land verheerte und nicht weniger als 300.000 Stück Vieh vernichtete, hatte dem Wohlstande schwere Wunden geschlagen, doch wurde mit Hilfe O s m a n P a s c h a s in wenigen Jahren Abhilfe geschaffen.

---

1) Das Bosn.-herceg. Institut für Balkanforschung besitzt folgende drei daselbst in Klein-oktav mit cyrillischen Lettern »für die Volksschulen im bosnischen Wilajet« gedruckte Bücher:
a) Bukvar (Fibel). 1867. 30 S.
b) Prva čitanka (Erstes Lesebuch). Cijena je dva groša (Preis 2 Groschen = 32 Heller). 18r 8. 130 S.
c) Kratka sveštena istorija (Kurze biblische Geschichte). Cijena je 60 para (Preis 60 Para — 24 Heller). 1868. 42 S.
a) trägt den gedruckten Vermerk: Po nalogo njegove preuzvišenosti č. Šerif-Osman-paše, valije vilajeta bosanskoga, ima se ovaj Bukvar na poklon davati učenicima u ovom vilajetu (Über Auftrag Sr. Exzellenz Scherif Osman Paschas, Walis des Bosnischen Wilajets, ist diese Fibel kostenlos an Schüler dieses Wilajets abzugeben).

Seit dem Jahre 1863 arbeitete eine Kommission unter dem Vorsitze des kaiserlichen Kommissärs D s c h e w d e t E f e n d i an einer Regelung des Verhältnisses zwischen den moslimischen Grundbesitzern und deren christlichen Kmeten.[1]) Der aus den Arbeiten dieser Kommission hervorgegangene grossherrliche Ferman vom 12. Sefer 1274 (2. Oktober 1857) war sowohl den althergebrachten sozialen Einrichtungen wie auch den tatsächlichen Bedürfnissen des Landes angemessen und gewährleistete den christlichen Bauern einen gesetzlichen Schutz gegen Bedrückungen seitens der Grundherren. Obwohl nun die Befolgung dieses Gesetzes in der Hauptsache von dem guten Willen der Grundherren abhing, so habe ich mich doch in meinem häufigen Verkehr mit den Bauern selbst überzeugen können, dass die meisten mit ihren Grundherren in einem erträglichen Einvernehmen lebten, ja dass letztere, namentlich die reichen und angesehenen, in schlechten Jahren ihre Kmeten auf jede mögliche Weise unterstützten. Allerdings gab es auch gewalttätige Aga, deren bewaffnete Faust schwer auf den wehrlosen Bauern lastete. Der Antagonismus, welcher in solchen Fällen sich herausbildete, entsprang jedoch mehr materiellen Interessen als religiös-politischen Beweggründen. Erst gegen Ende der sechziger Jahre wurde das Schlagwort von der serbischen Freiheit geprägt, und nun erst regte sich unter dem christlichen Landvolke der Wunsch nach Befreiung vom Türkenjoche oder vielmehr nach einer baldigen Aneignung des von den Vätern übernommenen Bodens.

Im Jahre 1866 wurde durch kaiserlichen Ferman im ganzen ottomanischen Reiche die Wilajetsverfassung durchgeführt. Diese Reform gipfelte in dem organischen Statut der Provinzialbehörden, wie es bis zur Okkupation fortbestanden hat, und ihre wichtigste Errungenschaft war die Schaffung des administrativen Rates oder idare Medschliss und des Wilajet-Generalrates oder Medschlissi Kebir. Der Idare-Medschliss war ein Beirat des Gouverneurs und bestand aus den Spitzen der Behörden, den Würdenträgern der verschiedenen Religionsgemeinschaften,

---

1) Kmet der Grundhörige, zumeist christlichen, in vereinzelten Fällen auch islamitischen Glaubens, welcher dem Grundherrn (Beg oder Aga) einen Teil (1 3, 1 4 oder 1'5) des Bruttoerträgnisses der bebauten Grundstücke abzuliefern verpflichtet ist.

endlich aus fünf von der Bevölkerung gewählten Mitgliedern, wovon drei Moslim und zwei Christen waren, während die Israeliten durch ein Mitglied vertreten wurden, welches abwechselnd mit einem Christen zu den Sitzungen einberufen wurde. Diese Körperschaft versammelte sich wöchentlich zweimal unter dem Vorsitze des Walis. In den Wilajet-Generalrat hingegen entsandte jeder der sieben Kreise drei Abgeordnete, zwei Moslim und einen Christen. Diese Deputiertenversammlung, welche jährlich einmal ebenfalls unter dem Vorsitze des Walis in Sarajevo zusammentrat, befasste sich mit allen Verwaltungs-, Gesetzgebungs- und Budgetangelegenheiten, hatte jedoch lediglich ein Votum consultativum. Wenn nun auch diese Reformen von den besten Intentionen der Pforte zeugten, so hing ihr praktischer Erfolg doch zu sehr von dem guten Willen des Walis ab, als dass ein nachhaltiger Vorteil für die gesamte Bevölkerung daraus hätte hervorgehen können.

Die Finanzgebahrung des Landes lag sehr im argen. Ein Defterdar als Direktor, ein Muhassibedschi als Oberkontrollor und etwa 15 Schreiber bildeten den ganzen Apparat für die Finanzverwaltung des Wilajets. Das Budget von Bosnien und der Hercegovina betrug in den letzten sechziger Jahren nicht mehr als 8 – 9 Millionen Franken und setzte sich zusammen aus den Erträgnissen der Zehentsteuer, des Emlak oder der Grundsteuer, der Kleinviehsteuer, endlich aus der von den Christen eingehobenen Militärtaxe, welche für jeden christlichen Landbewohner vom ersten bis zum sechzigsten Lebensjahre mit 21 Piastern[1]) bemessen, für die reichen Städter aber bis auf 33 Piaster hinaufgeschraubt wurde. Diese Einnahmen mussten für die Beamtengehalte, die öffentlichen Bauten, dass Saptie-Korps[2]) und später für die aus Einheimischen bestehenden Bataillone aufkommen, während die in Bosnien und der Hercegovina garnisonierenden rumelischen und anatolischen Truppen von ihren heimatlichen Wilajeten unterhalten wurden. Die Zölle bildeten keine Einnahmsquelle der Wilajetsverwaltung, sondern flossen direkt dem Staatsschatze zu.

---

1) 1 Piaster = 16 Heller.
2) Gendarmeriekorps.

Von 1870 an zeigte des Budget eine stetig steigende Tendenz, und am Vorabende der verhängnisvollen Periode 1875—1876 rühmte sich der Defterdar, die voraussichtlichen Einnahmen auf 14 Millionen Franken hinaufgeschraubt zu haben. Freilich blieben die effektiven Geldeingänge hinter dem Voranschlage von jeher weit zurück, und die jährlichen Rückstände (Bekaja) spielten in der bosnischen Finanzverwaltung immer eine sehr wichtige Rolle. In den Jahresausweisen wurden diese Rückstände als einzubringende, jedoch dubiose Forderungen des Staatssäckels besonders verzeichnet. und nach vier oder fünf Jahren erschien dann bei irgendeinem feierlichen Anlasse ein kaiserlicher Ferman, welcher den Nachlass der Rückstände verkündete. Es ist wohl wenigen bekannt, dass die so übel beleumdete Türkei die Einbringung der Steuern durch Exekution nicht kennt. Wenn ab und zu der Wali oder der Defterdar einen Anlauf nahm, um die rückständigen Steuern einzutreiben, so wurden die säumigen Schuldner nach S a r a j e v o oder in eine der Kreisstädte gebracht und hier eingekerkert. Nach wenigen Tagen einer gemütlichen Haft erschien irgendein Kaufmann oder der Aga des verhafteten Schuldners und unterzeichnete vor dem Polizeichef einen Kefil- (Bürgschafts-) Revers, womit er jedoch nicht für die Schuld selbst, sondern lediglich dafür die Haftung übernahm. dass der Schuldner jederzeit der Behörde sich wieder zur Verfügung stelle. Der hierauf in Freiheit gesetzte Bauer aber ging leichten Herzens nach Hause, ohne im mindesten ans Zahlen zu denken.

Die Einhebung der Zehentsteuer (Desetina) verursachte der Regierung viel Kopfzerbrechens, denn sie war eine nie versiegende Quelle von Klagen, die häufig genug ihren Weg ins Ausland fanden und hier zu den unliebsamsten Erörterungen Anlass gaben. Der Zehent wurde nicht in Geld, sondern in den zehentpflichtigen Feldfrüchten selbst geleistet. Diese für den Landwirt anscheinend sehr billige Besteuerung wurde jedoch durch das System der Steuerverpachtung häufig genug zu einer unerträglichen Bedrückung, denn der Pächter missbrauchte unter dem Schutze der Lokalbehörden nur zu gerne seine Gewalt, sei es um auf Kosten der Bauern reich zu werden, sei es um sich wenigstens vor Schaden zu bewahren, wenn der Defterdar, um sich selbst beim Finanzminister in ein günstiges Licht zu stellen, bei der Lizitation den Pachtschilling recht hoch hinaufzuschrauben verstanden hatte. Einigemal versuchte die Regierung, den Zehent in eigener Regie einzuheben, so anlässlich der von O s m a n P a s c h a angeregten Errichtung von staatlichen Kornspeichern, doch kam sie hiebei in Ermanglung tüchtiger und ehrlicher Organe jedesmal zu Schaden. Eine andere, ebenfalls von O s m a n P a s c h a versuchte Reform bestand darin, dass den einzelnen Dschematen (Gemeindeverbänden) das Recht zugestanden wurde, den eingeschätzten Zehent selbst einzuheben und an die staatlichen Kornspeicher abzuliefern; allein auch dieses Verfahren konnte sich nicht über ein Jahr behaupten, weil der Staat hiebei von den Bauern arg übervorteilt wurde. Nach der Fromulgierung des Wilajet-Statuts im Jahre 1866 wurde der Kataster (Emlak) in der ganzen Provinz durchgeführt, und O s m a n P a s c h a arbeitete monatelang an einem Entwurfe über die Auflassung des Zehents und die Einführung einer direkten Grundsteuer, wobei ich ihm behilflich war, indem ich ihm die in Kroatien geltenden Grundsteuervorschriften verschaffte und ins Türkische übersetzte. Der sehr sorgfältig ausgearbeitete Entwurf, in welchem der in Sachen des Scheri[1]) wohlbewanderte Wali den Beweis erbrachte, dass diese Neuerung keinen Angriff auf die religiösen Satzungen des Korans enthalte, wurde an die Hohe Pforte geschickt mit der Bitte zu gestatten, dass die direkte Grundsteuer versuchsweise auf ein Jahr eingeführt werde. Der Grosswesier sprach seinen verbindlichen Dank für die Arbeit aus und versicherte, dass das Projekt einer Kommission zur eingehenden Prüfung übergeben worden sei. Nach dreimonatlichem Warten und Urgieren erhielten wir jedoch in einem anderthalb Zeilen langen Schreiben den trockenen Bescheid, dass die Pforte nach reiflicher Überlegung auf den Vorschlag nicht eingehen könne.

Ich kann es mir nicht versagen, hier auch der sprichwörtlich gewordenen Bestechlichkeit der ottomanischen Beamten sowie der Schädigung des Staatssäckels durch dieselben mit einigen Worten zu gedenken. Es muss bekannt werden, dass im allgemeinen jeder Beamte, u. z. der ungenügend besoldete ebenso

---

1) Gesamtheit der religiösen und der Rechtssatzungen des Islams.

wie der reichlich dotierte, eine angeborene Zuneigung für den illegalen Nebenverdienst bekundete, was wohl hauptsächlich aus. den Zeiten der Misswirtschaft seit A b d u l M e d s c h i d herstammte.. Allerdings wurden nach der Thronbesteigung des Sultans A b d u l A s i s einige Versuche gemacht, den Bestechungen und Unter-- schleifen ein Ziel zu setzen, allein grosse Erfolge sah ich nicht. Wenn im allgemeinen der niedere Schreiber als ehrlich gelten durfte, so war dies doch nicht sein Verdie..ist, sondern einfach. darin gelegen, dass ihm keine Möglichkeit zum Ausbeuten gege-- ben war. In letzterer Hinsicht waren die Zollbeamten am meisten beneidet, denn ihr gefälliges Amtieren mit den Kaufleuten unter Mitwirkung kundiger spaniolischer Agenten war ausserordentlich. einträglich. Allerdings durfte der Zolleinnehmer, in steter Sorge um seine Stellung, des Zolldirektors und des Zoll- inspektors nicht vergessen. Heute noch ist mir das Telegramm erinnerlich, mit weichem der Sarajevoer Zolldirektor den Zoll-- einnehmer von L i v n o ermahnte, er möchte ihm ehestens die versprochenen »300 Prtokal«[1]) einsenden. Was die Defterdare und die Muhassibedschi betrifft, so erinnere ich mich nicht eines ein-- zigen, für dessen Ehrlichkeit ich hätte eine Lanze brechen mö- gen. Der berüchtigte Defterdar A l i R i s a E f e n d i war bei sei- nen unbestreitbaren Fähigkeiten ein wahrer Virtuos in allem unlauteren Nebenerwerb. Verstand er es doch, O s m a n P a s c h a selbst in dessen letzten Regierungsjahren zur Annahme von Ge- schenken zu verleiten und dessen Zustimmung dazu zu erwir- ken, dass das schöne Landgut S l a t i n a in der Save-Ebene (im Bezirk Gradačac) bei der zugunsten des Fiskus angeordneten öffentlichen Versteigerung der Landgüter des H u s s e i n K a p e-- t a n G r a d a š č e v i ć zu einem ausserordentlich niedrigen Preise dem Wali zugeschlagen wurde.

Die Bestechlichkeit der Kadi ist von jeher sprichwörtlich gewesen, ja ich bin überzeugt, dass ein Kadi, welcher der Origi- nalität halber versucht hätte, keine Geschenke anzunehmen, bei niemand Glauben gefunden haben würde. Die Gerechtigkeit ge- bietet jedoch anzuerkennen, dass es bei alledem auch dem Unbemittelten möglich war, sein Recht zu finden, denn der

[1]) Orangen, d. i. Dukaten.

Buchstabe des Gesetzes und die öffentliche Meinung hielten auch den schlimmsten Kadi in Schranken.

Ausserordentlich gross sind die Verdienste Osman Paschas um das öffentliche Bauwesen. Kaum war er nach Sarajevo gekommen, als er sein ganzes Augenmerk darauf richtete, dem Wilajet durch Strassen den Weg nach dem Auslande zu öffnen.[1]) Ohne eine direkte Erlaubnis des Ministeriums einzuholen und ohne die Staatskassen hiefür in Anspruch zu nehmen, ja ohne technisches Personal machte er sich daran, eine Fahrstrasse von Sarajevo nach Bosnisch-Brod zu bauen. Zu diesem Zwecke wurde die gesamte arbeitsfähige Bevölkerung aufgeboten, reich, und arm, Moslim und Christ, alle wusste er durch aufmunternde Worte zur Arbeit zu bestimmen. Binnen Jahresfrist war die Strasse fahrbar, und bald brachten die ersten slawonischen Landwagen die beliebten Wiener Waren nach Sarajevo, wo binnen kurzem eine beträchtliche Anzahl von Wagen und Kutschen angeschafft wurde. Diese Strasse, welche Jahr für Jahr verbessert wurde, genügte vollkommen dem Verkehrsbedürfnisse jener Zeit; der Weg nach Brod konnte ganz leicht in drei Tagen zurückgelegt werden. Bald wurden auch andere Strassenbauten in Angriff genommen, und schon im Jahre 1867 hatte Bosnien im Verhältnisse zu anderen ottomanischen Provinzen ein wohlausgestaltetes Strassennetz aufzuweisen. Diese Kommunikationen waren zwar zum grossen Teile recht primitiv angelegt, wurden aber doch nach Massgabe der verfügbaren Robotkräfte und der Kreiskassen in leidlich gutem Zustande erhalten. Es seien hier nur erwähnt die Strasse von Maglaj nach Dönja Tuzla und von hier über die Majevica nach Brčka, Bjelina und Zvornik; dann die Strasse Bosnisch-Gradiška-Banjaluka-Travnik-Livno und von hier über den Prolog nach Dalmatien. Im Jahre 1864 wurde von der Militärverwaltung die Strasse Sarajevo-Mostar angelegt und in der Ebene von Mostar auf einer Strecke von $2^1/_2$ Stunden geradezu zu einer mustergültigen Kunststrasse gestaltet. Später übernahm Osman Pascha die Fortführung dieses Strassenbaues, zu wel-

---

1) Zu dem Folgenden vgl. O. Blau, Preussisches Handelsarchiv 1865 486 ff., 1867 159 ff., 1869 16 ff. und 149 ff ; I. Roskiewicz, Studien über Bosnien und die Hercegovina 89 ff.; F. Schlesinger, IX. Jahresbericht des Technischen Klub in Sarajevo 9 ff.

-chem Behufe aus England eiserne Brücken bestellt wurden. Lei-
-der lehnte Osman Pascha hiebei das Projekt Omer Fewsi
Paschas, welcher das Ramatal zu benützen vorgeschlagen
hatte, ab und verharrte darauf, die Narenta zu überbrücken
und die Strasse über das steile Rutschgelände bei Papraska
-(im Narentaknie bei Jablanica) zuführen; nichtsdestoweniger konnten wir in den siebziger Jahren auf dieser Strasse ganz bequem
in zwei Tagen Mostar erreichen. Ich erwähne noch die gut
-angelegte Strasse von Trebinje nach Ragusa, deren Bau mir
im Jahre 1868 eine hübsche Erfahrung brachte. Anlässlich einer
Kommission, die wir mit dem österreichischen Konsul Wasić
betreffs einiger strittiger Objekte an der Grenze hatten, überre-
dete ich einen alten Beg aus Trebinje, der der Kommission
beigezogen worden war, mit uns in das nahe Ragusa hinab-
zugehen, und da bekannte mir der alte Mann, dass er trotz der
grossen Nähe noch nie dort gewesen sei!

Ausser den Landstrassen erinnern noch viele öffentliche
Bauten an die schöne Zeit Osman Paschas, so namentlich
das Wakuf-Spital in Sarajevo, welches er auf mein Ersuchen
im Jahre 1866 mit 40 Betten zur Aufnahme von Kranken ohne
Unterschied der Religion aus dem Wakuf-Fond[1]) erbauen liess.

In Sarajevo eröffnete und baute er neue Strassen, so durch
Gärten die nach ihm benannte Šerif Osman pašina ulica (jetzt
Nova testa genannt), ferner die auf den Hrid und zur Gelben
Bastion führenden Strassen. Während des letztgenannten Strassenbaues war der alte Pascha täglich bei den arbeitenden Städtern
anzutreffen, wie er denn überhaupt sich eines sehr regen patri-
archalischen Verkehrs mit der Bevölkerung befliss. Bei seinen mit
Gefolge durch die Stadt unternommenen Spaziergängen stiftete
er auch Ehen: traf er jemand an einem Haustor bei dem landesüblichen Courmachen, so zwang er ihn unverweilt zur Hochzeit
und steuerte auch selbst einige Dukaten hiezu bei.

Im Frühjahr 1865 wurde die militärische Konskription der
Moslim im Wilajet durchgeführt. Obschon die vor 15 Jahren
erfolgte Züchtigung der bosnischen Rebellen durch Omer Pa-

---

1) Öffentliche Fonde zu Kultus- und Unterrichtszwecken, in der Regel an eine bestimmte
Moschee oder an eine bestimmte Lehranstalt gebunden.

scha[1]) eine Wiederholung des Aufstandes aus Anlass der Assentierung nicht besorgen liess, so neigte doch Osman Pascha im Vereine mit dem kaiserlichen Kommissär Dschewdet Efendi. der Ansicht zu, dass es klüger wäre, die trotzigen und unbotmässigen Bosnier mit Honig auf den Leim zu führen. Durch alle erdenklichen Schmeicheleien und Versprechungen, darunter die förmliche Zusicherung, dass die bosnisch-hercegovinischen Bataillone niemals ausser Landes verwendet werden sollen, gelang es den ganzen Winter über wirklich an 1000 Freiwillige zu einem dreijährigen Dienst in der Kaserne in Sarajevo zu verpflichten. Die jungen Beg wurden sofort zu Offizieren gemacht, und gleich am Tage der Aufstellung des Bataillons sah man den schon betagten Derviš Beg Teskeredžić aus Travnik in der Uniform eines Oberstleutnants gravitätisch, aber höchst unbeholfen einherstolzieren, während der zum Major ernannte Ismet Beg Uzunić, welcher es in der Folge bis zum General brachte, sich schon gewandter mit seiner neuen militärischen Würde abzufinden verstand. Die Mannschaft wurde eine volle Woche festlich bewirtet, und erst nachher begann allmählich das eigentliche Kasernenleben.

Die kriegerischen Ereignisse des Jahres 1866 vermochten den Bosniern nur ein geringes Interesse abzugewinnen. Indes konnte ich die Wahrnehmung machen, dass die Bevölkerung von Sarajevo über die Niederlagen der österreichischen Truppen auf den böhmischen Schlachtfeldern sich zwar wunderte, aber doch sichtlich freute. Als nach der Schlacht bei Königgrätz Kaiser Napoleon die Abtretung von Venedig an Italien vermittelte, brachten ernste Pariser Blätter die verblüffende Nachricht, dass die Diplomatie sich mit dem Gedanken trage, Österreich für den Verlust seiner italienischen Provinzen durch Bosnien und die Hercegovina zu entschädigen. Der erste Versuchsballon, der mir ernstlich zu denken gab! Ich teilte Osman Pascha die fraglichen Zeitungsartikel mit. Zuerst lächelte er, dann aber legte sich seine hohe Stirne in Falten und in bitterem Tone sagte er zu mir: »Dies also ist eure berühmte europäische Diplomatie, die immer das Völkerrecht im Munde führt, aber bei.

---

[1] Vgl. Erinnerungen aus dem Leben des Serdar Ekrem Omer Pascha 19 ff.

jeder Gelegenheit der Türkei mit der Rute droht! Ist denn Bosnien ein herrenloses Land? Nun, sie sollen nur kommen und sich's holen!«

Gegen Ende August 1866 hielt ein unheimlicher Gast, die Cholera, ihren Einzug in S a r a j e v o. Im vorhergehenden Jahre hatte die Seuche, aus A l e x a n d r i e n einge- schleppt, S t a m b u l furchtbar heimgesucht und im Frühlinge 1866 war sie die D o n a u aufwärts bis B e l g r a d gekommen. Da wurde ich eines Abends zu einem im Stadtviertel Varoš plötzlich erkrankten Fuhrmanne gerufen und erkannte beim ersten Anblicke des Patienten die asiatische Cholera. Ich erfuhr, dass er soeben aus B r č k a gekommen sei, von wo er vier aus Belgrad von der Seuche entflohene spaniolische Frauen samt ihren Kindern und Effekten nach Sarajevo gebracht hatte. Ich eilte sogleich in den Konak, um dem Wali die böse Kunde mitzuteilen und die Ergreifung von energischen Massnahmen zur Abwehr der Seuche zu betreiben. Betroffen meinte der gute Alte, die Sache habe wohl nichts zu bedeuten, der Fuhrmann sei höchstwahrscheinlich betrunken und man tue wohl am besten, bis zum nächsten Tage zuzuwarten. Als ich nun vollends am nächsten Morgen berichten konnte, dass der Fuhrmann sich auf dem Wege der Genesung befinde, fand mein Antrag, die vier spaniolischen Frauen ausserhalb der Stadt beobachten und ihre Effekten verbrennen zu lassen, kein geneigtes Ohr, und es wurde weiteres Abwarten beschlossen. Allein schon nach wenigen Tagen — ich kehrte eben von einem trühen Spazier- ritte aus I l i d ž e zurück — brachte mir bei der Čengić-Villa ein Saptie mit verhängten Zügeln die Nachricht, dass im Juden- viertel »die Krankheit« ausgebrochen sei. In einem spaniolischen Hause, in welchem die aus Belgrad gekommenen Frauen abge- stiegen waren, war ein Nachtfest abgehalten worden, als gegen drei Uhr früh vier Frauen mit allen Symptomen der Cholera erkrankten. Bei meiner Ankunft fand ich bereits zwei Tote, darunter die Frau des Oberrabbiners, während die beiden anderen Frauen sich erholten. Eine allgemeine Panik verbreitete sich, aber alles, was ich erreichen konnte, war die Absperrung des infizierten Hauses. Nach einigen Tagen Stillstandes wurde

·eines Nachmittags ein junger kräftiger mohammedanischer Fleisch-
hauer aus dem Schlachthause nach einem Kaffeehause nächst
der Kaiserbrücke gebracht, wo er alsbald an der Cholera starb,
und Tags darauf erkrankten und starben einige Stallknechte
der Transportkompagnie. So verbreitete sich die Seuche sehr
rasch über die meisten Stadtviertel, besonders aber längs der
Miljacka, in Hiseta, Potok und auf dem Bistrik. Auf mein An-ᴜ
raten bezog O s m a n P á s c h a ein Haus im Kastell neben dem
Višegrader Tor, und der Rat bewährte sich, denn während der
ganzen Epidemie kam kein einziger Erkrankungsfall in diesem
Viertel vor.

Zur Bekämpfung der Seuche wurde unter Mitwirkung des
italienischen Konsuls D u r a n d o eine Exekutivkommission mit
dem Mutessarif M u n i b P a s c h a an der Spitze eingesetzt und
die Schliessung aller Ämter angeordnet. Die Truppen lagerten
bereits seit acht Wochen auf einem Hügel zur Linken der Ali
Pascha-Brücke und durften den Stadtrayon nicht betreten. Die
serbischen Kaufleute flüchteten mit ihren Familien nach allen
Richtungen, während die moslimischen Grundherren sich auf
ihre Landsitze zurückzogen. Auf den Plätzen der Stadt wurden
haushohe Haufen von Wacholdersträuchern verbrannt, so dass
die Sonne zeitweilig hinter den Rauchwolken verschwand. Endlich,
nach vier bangen Wochen, konnte ich dem betrübten Wali die
frohe Nachricht bringen, dass eine starke Abnahme der Erkran-
kungen wie auch der Sterbefälle zu verzeichnen sei, was natürlich den fortgesetzten Räucherungen zugeschrieben wurde.
Nun konnte auch ich mich etwas mehr der lange entbehrten
Ruhe hingeben. Im Gegensatze zu den übertriebenen Konsular-
berichten habe ich als höchste Sterblichkeitsziffer drei Tage hindurch 32 bis 34 Tote erhoben, während im ganzen nicht mehr
als etwa 400 Sterbefälle festgestellt werden konnten.

Im Winter 1866—67, als wir eines Abends einer Liebhaber-
vorstellung beim englischen Konsul beiwohnten, brachte der Kommissär für Serbien, A l i B e g, die Drahtnachricht, dass auf dringenden Antrag B e u s t s die Hohe Pforte die Räumung der
Festung in B e l g r a d beschlossen habe. Osman Pascha konnte
seine Bestürzung über diese Kunde nicht verbergen. »Mein Sohn,«

sagte er mir noch an jenem Abende, »der Grosswesier hat einen argen Fehler begangen, denn eine Festung wie B e l g r a d übergibt man nicht gegen einen Fetzen Papier. Hat denn die Hohe Pforte vergessen, dass unsere Kanonen auf den Wällen Belgrads auch über die Sicherheit Bosniens wachen, und muss es gerade Österreich sein, das uns dieses Leid antut? Glaubt Österreich vielleicht sich dadurch die Serben zum Danke zu verpflichten?« Wie oft seither sind mir diese Worte des alten O s m a n P a s c h a in Erinnerung gekommen!

Von diesem Momente an verdoppelte O s m a n P a s c h a seine Aufmerksamkeit gegen Serbien. Er unterhielt mit B e l g r a d über S e m l i n einen genauen Kundschafterdienst und erlangte von der Pforte die Errichtung eines militärischen Kordons längs des ganzen Drinaufers, welcher später überflüssigerweise die S a v e entlang verlängert wurde. In B e l g r a d kannte man ganz genau die rege Tätigkeit des serbenfeindlichen Walis, und die Klagen und Beschwerden sowohl in den Zeitungen als auch in den diplomatischen Korrespondenzen wollten kein Ende nehmen. Der sonst so kluge F ü r s t M i c h a e l selbst wurde von der immer mächtiger anschwellenden serbischen Bewegung fortgerissen und verstieg sich zweimal dazu, von dem Sultan die Administration Bosniens zu erbitten, allerdings »au nom et pour S. M. le Sultan.« Als dann im Sommer 1868 F ü r s t M i c h a e l in T o p t s c h i d e r den Meuchelmördern zum Opfer fiel, wurden verschiedene Stimmen laut, die O s m a n P a s c h a in diese Bluttat zu verwickeln suchten, ja man raunte sich sogar die Summe von Dukaten in die Ohren, die der »Tyrann von Bosnien« den Mördern zugesteckt haben sollte. Die serbische Regierung tat nichts um solchen perfiden Ausstreuungen entgegenzutreten, obwohl sie von allem Anfange an wusste, wo die Fäden der Verschwörung zu suchen waren. Es ist scmit begreiflich, dass die Beziehungen zwischen der Belgrader Regierung und dem Wali höchst unfreundliche, ja gereizte waren, was sogar bei der Behandlung gewöhnlicher Polizeiangelegenheiten nicht selten in schrankenloser Weise zum Ausdruck kam. Die durch das launenhafte Wasser der D r i n a hervorgerufenen Uferstreitigkeiten lieferten überdies reichlichen Stoff für tägliche Reibungen zwischen den von

altersher einander feindlich gesinnten Uferbewohnern. Eine gemischte Kommission, welche im Jahre 1869 zur Regelung der
Uferstreitigkeiten an Ort und Stelle zusammentrat, kehrte bald
unverrichteter Dinge zurück.

Besser gestalteten sich die Beziehungen O s m a n P a s c h a s
zu dem Fürsten von Montenegro. Seit 1865 waren die letzten
Räuberbanden an der hercegovinisch-montenegrinischen Grenze,
welche sich hier in den Zeiten des Krieges gebildet hatten, durch
die unermüdliche Tätigkeit O s m a n P a s c h a s aufgerieben worden, so dass nun im Grenzverkehre leidliche Ruhe und Ordnung
eingetreten waren.

1868 drohte aber eine Verwicklung. Im Frühjahr des genannten Jahres, nachdem das Sandschak N o v i - P a z a r nach
einer dreijährigen Trennung mit dem Wilajet wieder vereinigt
worden war, bereiste der Wali den Bezirk T a š l i d s c h a (Plevlje) und kam dabei auf den Gedanken, das nominell zwar noch
zur Türkei gehörende, tatsächlich aber bereits Montenegro ein-
verleibte Gebiet von D r o b n j a c i, Š a r a n c i und J e z e r a (nächst
dem D u r m i t o r) zur Rückkehr unter die türkische Herrschaft zu
zwingen. Mit einem Gefolge von Sapties und Baschi-Bosuks begab er sich nach N e f e r t a r a, um hier eine Brücke über die
T a r a schlagen zu lassen, welche den Aufstieg zu der strittigen Landschaft eröffnen sollte. Die Bedrohten berichteten aber
von der bevorstehenden Invasion dem Fürsten N i k o l a u s, der
eine Truppenabteilung nach D r o b n j a c i und einen Wojwoden
zu dem Wali mit dem Ersuchen um Aufklärungen entsandte. Die
Antwort lautete ganz friedlich: man wolle nur dem isolierten
Gebiete den Übergang über die T a r a und damit den Besuch des
Marktes in P l e v l j e erleichtern. Als aber noch am selben Tage
auch aus S t a m b u l, wohin der in S a r a j e v o kommandierende
T s c h e r k e s s A b d i P a s c h a die Absicht des Walis berichtet
hatte, ein Wink eintraf, gab Osman Pascha seinen Plan auf
und kehrte nach S a r a j e v o zurück. Hier erschien bald darauf
der Kapetan P e r o P e j o v i ć, um die Versicherung abzugeben,
F ü r s t N i k o l a u s sei von den friedlichsten Gesinnungen er-
füllt und wünsche mit Bosnien gute, freundnachbarliche Bezie ·
hungen zu unterhalten. Dabei wurden die Vorbedingungen einer

Zusammenkunft des Walis mit den Pürsten in N i k š i ć verabredet.

Ende Juli 1868 verliess O s m a n P a s c h a zu diesem Zwecke S a r a j e v o, und mir war vergönnt, ihn zu begleiten. Nach kurzem Aufenthalte in M o s t a r begaben wir uns über N e v e s i n j e und G a c k o nach L i p n i k und stiegen dann die Anhöhen nach R a v n o hinauf, wo sich unseren entzückten Blicken eine prächtige Aussicht über das Alpenland P i v a bot. Wie heiterte sich hier mein Schweizer Gemüt auf, als ich nach dem dürren Karstplateau und der baumlosen Ebene von G a c k o wieder über duftende Weiden und durch grüne Wälder wandern konnte! In einer Mulde zeigte man mir den Ort M u r a t o v i ć i, wo während des Zuges des Serdars O m e r P a s c h a nach P i v a im Jahre 1861 D e r v i š B e g Č e n g i ć von den Insurgenten so arg bedrängt wurde[1]) und wo vierzehn Jahre darauf, im Jahre 1875, eine türkische Militärkolonne unter S c h e f k e t P a s c h a eine so blutige Niederlage erleiden sollte.[2]) Gegen Abend gelangten wir auf das Plateau G o r a n s k o, liessen die neuerbaute Kaserne beiseite und stiegen zu dem alten Kloster P i v a hinunter, in dessen Garten neben dem gleichnamigen Flusse wir unsere Zelte aufschlugen. Am nächsten Morgen ging es das Ufer der P i v a entlang durch dichte Buchenwaldungen hinauf bis zu einem Orte, wo eben eine hölzerne Brücke über einen Gebirgsfluss geschlagen werden sollte; von hier führte der Weg weiter über Wiesen und durch lichte Haine, an vereinzelt liegenden Gehöften, darunter der Geburtsstätte des berüchtigten jungen Wojwoden L a z a r S o č i c a vorbei auf das Plateau, wo bereits seit einem Monate der Baschi-Bosuk-Bimbaschi D e r v i š P a s c h a Č e n g i ć mit seiner verwegenen Truppe lagerte. Hier verbrachte ich unter dem Zelte 14 unvergesslich schöne Tage. Vor meinen Blicken dehnten sich die imposanten Vorberge des D u r m i t o r s, hinter uns streckte sich die bewaldete Felsenkette um die D u g a p ä s s e aus. Rings herum labten uns grüne Wiesen, Felder und Haine, dazu eine frische, würzige Luft, ausgezeichnete Milch, Himbeeren in Fülle, eine reich besetzte Tafel beim Wali und abends bei

---

1) Vgl. Erinnerungen aus dem Leben des Serdar Ekrem Omer Pascha 162 f.
2) Vgl. Aus Bosniens letzter Türkenzeit 15.

Derviš Pascha Čengić die einschläfernden Weisen der Gusladschi[1]).

Eines Tages besuchte ich das alte, damals jedermann offenstehende Kloster P i v a, das sich nur unter der Obhut eines Bauers befand, seit der letzte Iguman in den Freiheitskämpfen 1860—61 gefallen war. Hof und Klostergebäude waren verwahrlost, Grabesstille herrschte überall, die Tür der schmucklosen Klosterkirche stand offen. Das Einzige, was meine Aufmerksamkeit in Anspruch nahm, war ein grosses Freskobild an der rechten Eingangswand. Durch Feuchtigkeit stark beschädigt, waren doch die einzelnen Figuren in der vorherrschenden roten Farbe noch deutlich zu erkennen. Das Bild, jedenfalls das Werk eines europäischen Künstlers, stellte einen Iguman mit weissem Barte dar, welcher, umgeben von einer Schar jüngerer Mönche, an der Píorte des Klosters einen Pascha mit Gefolge in glänzender alttürkischer Pracht empfängt. Wie mir ein Geistlicher jener Gegend erzählte, ist dieses Bild eine Erinnerung an die Begegnung zweier Brüder L e l o v i ć aus der Hercegovina, von denen der jüngere als Janitschar nach Stambul abgeführt worden war und als Pascha in die Heimat zurückkehrte, wo mittlerweile sein älterer Bruder als Mönch das Kloster P i v a erbaut hatte und nun als dessen Iguman den brüderlichen Janitscharen-Pascha willkommen hiess. Wie die Überlieferung erzählt, soll der Pascha sich vergebens bemüht haben, seinen Bruder unter den verlockendsten Zusicherungen zum Islam zu bekehren.

Nachdem Osman Pascha nochmals eine Einladung an den Fürsten N i k o l a u s zu einer Zusammenkunft in N i k š i ć hatte ergehen lassen, setzten wir unseren Weg durch die romantischen Täler und Waldungen von M i l j k o v a c und J a s e n o v e fort, um gegen Abend bei S i p a č n o in die üppige Ebene von N i k š i ć hinunterzusteigen, wo wir alsbald unter grossen neuen Zelten ausserhalb der Stadt lagerten. Tags darauf erschien der Kaimekam mit einer Abordnung der moslimischen Notabeln. Der alte Wali empfing sie höchst ungnädig, warf ihnen vor, dass N i k š i ć ein wahres Unglück wäre für das ottomanische Reich, da sie es bloss darauf abgesehen hätten, fortwährende Konflikte

---

1) Guslespieler. Gusle südslawisches Streichinstrument mit einer einzigen Saite.

mit den montenegrinischen Nachbarn anzuzetteln, um nur von
der Pforte Berate[1]) für Kriegszulagen zu erhalten, während doch
im Falle äusserster Not die braven Soldaten ihre Haut zu
Markte tragen müssten; sie täten besser daran, mit den Christen
und den Montenegrinern im Frieden zu leben, die brachliegende
schöne Ebene zu bebauen, kurz er sagte den verblüfften Helden
Wahrheiten ins Gesicht, die sie noch von keinem Wali vernom-
men hatten. Um die Stadt seine Ungnade fühlen zu lassen, ver-
mied es der aufgebrachte Pascha, ihr Gebiet zu betreten, wiewohl wir eine volle Woche davor lagerten. Sein grösstes Vergnügen bestand darin, in einem Weingarten, der vor vier Jahren
auf seinen Befehl angelegt worden war, zu sitzen und sich die
köstlich gediehenen Trauben schmecken zu lassen.

Obschon ich meine feste Überzeugung ausgesprochen hatte,
dass der Fürst der Einladung nicht nachkommen würde, so hielten wir doch alles bereit, um ihn gebührend empfangen und
bewirten zu können, zu welchem Behufe täglich wahre Pracht-
exemplare von Forellen gefangen wurden. Jeden Morgen ritt ich
mit Sapties durch das Städtchen hinaus in die Ebene, die sich
bis an die montenegrinische Grenze erstrekt, und verbrachte
hier einige Stunden unter schattigen Bäumen, den Blick nach
dem gegen O s t r o g aufsteigenden Weg gerichtet. Am vierten
Tage traf Kapetan P e r o. P e j o v i ć mit einem Gefolge von Offizieren und Perjaniken[2]) ein. Er überbrachte einen äusserst höf-
lichen Entschuldigungsbrief des Fürsten, worin dieser sein Be-
dauern aussprach, der Einladung Seiner Exzellenz keine Folge
leisten zu können. Als Hauptgrund war angeführt, dass die täglich wachsende nationale Bewegung der Omladina[3]) seinen Besuch auf ottomanischem Gebiete als mit dem Staatsprinzip Montenegros im Widerspruche stehend betrachten würde, ganz die
gleiche Ausrede wie im Jahre 1861, als N i k o l a u s eine Zusammenkunft mit O m e r P a s c h a und den europäischen Kom-
missären ausschlug, obwohl damals die serbische Omladina noch
gar nicht geboren war[4]).

1) Handschreiben des Grossherrn.
2) Fürstlichen Leibgarden.
3) Jugend, im übertragenen Sinne eine von der Jugend geleitete öffentliche Bewegung.
4) Vgl. Erinnerungen 144.

Die Eigenliebe Osman Paschas war zwar durch diese Ab-
lehnung ein wenig verletzt, aber er machte gute Miene zu dem
bösen Spiele. Die Gäste wurden festlich bewirtet, wozu die aus
R a g u s a bestellten feinen Weine das meiste beitrugen, und des
Abends trugen bei bengalischer Beleuchtung hercegovinische und
montenegrinische Barden zu der eintönigen Begleitung der
Gusle ihre besten Heldenlieder vor.

Bei dieser Gelegenheit vertraute mir P e r o P e j o v i ć an,
er sei vom Fürsten beauftragt worden, mir die Stelle eines
Leibarztes und Sekretärs an Stelle des demnächst scheidenden
französischen Arztes D r. P a n e r a z z i anzubieten. Der Kapetan
meinte, er brauche wohl nicht auseinanderzusetzen, welch ho-
her Achtung und Sympathie ich mich beim Fürsten erfreute, der
meine korrekte Haltung in dem schwierigen Jahre 1862 nicht
vergessen habe. Ich gestehe gerne, dass ich mich durch diesen
Antrag geschmeichelt fühlte, doch dachte ich keinen Augenblick
daran, ihn anzunehmen. Meine Antwort ging dahin, dass ich es
nicht übers Herz bringen könne, den alten, guten O s m a n P a-
s c h a, der mir die Liebe eines Vaters erweise, zu verlassen.
Alles eindringliche Zureden des Kapetans konnte mich in meinem Entschlusse nicht wankend machen, und schliesslich bat
mich jener, dem Fürsten meinen Entschluss brieflich mitzuteilen,
was ich auch gerne tat. Sonderbare Fügung des Schicksals !
Schon im Jahre 1857, als ich Militärarzt beim ersten Gardere-
giment in S k u t a r i war, suchte der berüchtigte französische
Konsul H. H e c q u a r d meine Ernennung zum Leibarzt und Sekretär des Fürsten D a n i l o zu vermitteln, und nur der Umstand,
dass ich nicht die Rolle eines Geheimagenten des intriganten
H e c q u a r d übernehmen wollte, liess mich damals diese Beru-
fung ablehnen Und noch ein drittes Mal sollte ich, wie wir später sehen werden, in die peinliche Lage versetzt werden, Nein
sagen zu müssen.

O s m a n P a s c h a hatte keinen Grund länger in N i k š i ć
zu verweilen und trat den Rückweg durch die bis in alle Täler
Kleinasiens so traurig berühmten D u g a p ä s s e an. Diese waren
früher auf beiden Abhängen ziemlich bewaldet, nach den mör-
derischen Kämpfen von 1860—62 aber sind sie abgeholzt worden;

nur in der Mitte bei N o z d r e sah ich noch gegen die G o l j a. p l a n i n a hinauf einen stattlichen Buchenwald. Auf der ganzen Strecke kein Dorf, kein Haus, keine Quelle, aber damals auch keine Scharen mehr von gefrässigen Geiern, die zu Anfang der sechziger Jahre hier jeden militärischen Zug umkreisten, in den armen Soldaten schlimme Vorahnungen hervorrufend. Aus der Ebene von N i k š i ć führt ein steiniger Saumweg ziemlich steil eine halbe Stunde lang zu dem Eingange der D u g a. Bald erblickt man zur Linken das erste türkische Fort, für drei Kompagnien bestimmt. So ziemlich in der Mitte des Passes, bei N o z d r e, befindet sich knapp am Wege auf einem vortretenden Kamme ein neues grosses Blockhaus mit einer Zisterne, zwei Kompagnien und zwei Kanonen. Wir verbrachten hier die Nacht in einem Raume, welcher an der hintern Seite des Hauses für die Offiziere angebaut worden war. Am zweiten Tage gegen Mittag erreichten wir das dritte, damals gleichfalls schon vollendete grössere Fort, Z l o s t u p, wo beinahe ein ganzes Bataillon untergebracht war.

Auf dem ganzen Wege musste ich weitschweifige Erzählungen der uns begleitenden Offiziere und Hercegovcen über mich ergehen lassen, welche Episoden aus den blutigen Kämpfen zu Beginn der sechziger Jahre mit sichtlichem Behagen vortrugen: hier fiel der und der Offizier mit so und so vielen seiner tapferen Soldaten, dort auf jenem Hügel erlag eine ganze Kompagnie, nachdem sie zwölf Stunden lang dem mörderischesten Feuer ausgesetzt war; hier fiel der junge, tapfere M u h a m e d B e g Č e n g i ć, der Albanier S e l i m B e g mit den meisten seiner Offiziere, dort musste D e r v i š P a s c h a den Rückzug antreten. So ging es ohne Unterbrechung fort, auf Schritt und Tritt wurden blutige Erinnerungen geweckt. Und doch waren diese Kämpfe nur das Vorspiel zu dem blutigen Ringen, welches neun Jahre später in dieser menschenleeren Einöde von neuem anheben sollte, noch grässlicher und grausamer als je zuvor. Damals aber waren die uns begleitenden türkischen Offiziere in freudig gehobener Stimmung. »Sie sollen jetzt nur wiederkommen, die Karadagh-Giaur,« hiess es, »wir werden sie in unseren Blockhäusern nach Gebühr empfangen und ihnen die Duga für ewige Zeiten verleiden.« Leider konnte ich diese Zuversicht nicht teilen, und ich erinnere mich noch sehr gut der heftigen Diskussion, welche sich an eine Bemerkung knüpfte, die ich beim Frühstücke in Zlostup über die Unzulänglichkeit und Unzweckmässigkeit der Befestigungen fallen liess. Vergebens bemühte ich mich meinen türkischen Freunden zu beweisen, dass diese drei Blockhäuser, je drei Stunden Weges voneinander entfernt, eher drei eisernen Käfigen glichen, in denen die darin eingesperrten Soldaten bei der notorisch mangelhaften Verproviantierung Gefahr laufen mussten, ausgehungert zu werden, ohne auch nur daran denken zu können, sich gegenseitig zu unterstützen oder eine durchziehende Proviantkolonne zu schützen. Meine Ansicht, dass es zweckmässiger gewesen wäre, von Krstac aus eine zehn Meter breite solide Chaussee durch den Pass zu führen und längs derselben von Kilometer zu Kilometer kleine Wachthäuser für je 20 Mann zu bauen, die es dann einer schwachen Brigade mit 3—4 Geschützen ermöglicht hätten, den ganzen Pass von Insurgenten zu säubern, wurde von allen anwesenden Offizieren, insbesondere aber von dem Brigadier Mustafa Pascha, dem Erbauer der Befestigungen, als laienhaft und ganz haltlos hingestellt. Leider aber musste ich die Genugtuung erleben, dass in den schrecklichen Jahren 1876—1877 meine Voraussagung eintraf, indem diese Anlagen sich als ganz unhaltbar erwiesen und ohne Schwertstreich den Montenegrinern in die Hände fielen.

Über Trebinje, Ljubinje und Mostar kehrten wir nach Sarajevo zurück.

Im Sommer 1867 war um Trebinje und Ragusa eine heftige Choleraepidemie ausgebrochen, welche die Sperrung der dalmatinischen Grenze seitens der türkischen Behörde zur Folge hatte. Da demnach den dalmatinischen Grenzbewohnern, namentlich denjenigen von Breno, der von altersher geübte Viehauftrieb auf die hercegovinischen Hochweiden verwehrt wurde, so kam es zu blutigen Schlägereien der Hirten mit den türkischen Panduren[1]) und zu fortwährenden gegenseitigen Klagen und Beschwerden. Da der nach Trebinje zur Schlichtung der Strei-

---

1) Sicherheitsorgane, die namentlich an der Grenze verwendet wurden.

tigkeiten entsendete Kommissär K o n s t a n t i n   E f e n d i   nichts
auszurichten vermochte, wurde ich dorthin beordert, um mit dem
österreichischen Konsul in M o s t a r, Herrn W a s i ć, die Weide-
angelegenheiten einer friedlichen Lösung zuzuführen. Nach zwei
Tagen wurde denn auch ein beiderseits zufriedenstellendes
Kompromiss abgeschlossen. Im Spätherbst 1868 schlichtete ich
einen Weidestreit zwischen der hercegovinischen Ortschaft K r u-
š e v i c a und den dalmatinischen K a n a l e s e n.

Die Beziehungen O s m a n P a s c h a s zum Konsularkorps waren
andauernd die besten, da er es ausgezeichnet verstand, durch
Versöhnlichkeit und Nachgiebigkeit allen in der Türkei auf der
Tagesordnung stehenden Etikette- und sachlichen Fragen die
Spitze zu nehmen. Insbesondere war er stets beflissen, mit dem
österreichischen Generalkonsul alle Reibungen zu vermeiden,
was ihm durch den damaligen turkophilen Botschafter G r a f e n
P r o k e s c h - O s t e n wohl sehr erleichtert wurde. Die Klagen
der Konsuln, so hiess es allgemein, fanden bei ihm nur selten
Gehör, so dass es diese vorzogen, sich mit den türkischen Behörden zu vertragen, so gut es eben ging.

Was das gesellschaftliche Leben in S a r a j e v o zu jener Zeit
betrifft, so wird gewiss jeder von den wenigen Überlebenden die
schönste Erinnerung daran bewahren; die aufrichtige Harmonie,
welche zwischen dem zahlreichen Konsularkorps, der kleinen
europäischen Kolonie und dem Konak herrschte, gab Anlass zu
häufigen Festlichkeiten und fröhlichen Landpartien (Teferitsch). Die
alten Nationalfeste der Christen, der Gjurgjev dan (Georgstag)
und der Ilin dan (Eliastag), wurden auch von der moslimischen
Bevölkerung in herkömmlicher Weise gefeiert. Am Aligjun, wie
der Ilin dan türkisch genannt wird, war auf den bunten Wiesen
des romantischen H r i d[1]) die gesamte städtische Jugend beider
Geschlechter zu den landesüblichen Spielen und Gesängen
versammelt, und O s m a n P a s c h a unterliess es nie, dem
Feste mit allen Würdenträgern und der Militärkapelle beizu-
wohnen. Auch vergesse ich nie die Zeit, da jeden Sonntag
nachmittag die orthodoxen und katholischen Esnaf-Familien[2])

---

1) Am Gehänge des Trebević. Vgl. o. S. 12.
2) Familien der Gewerbetreibenden und Handwerker.

mit Teppichen und vollen Körben zur Stadt hinauszogen, um sich am Rande der nach Ilidže führenden Strasse im Rasen niederzulassen, die mitgebrachten Erfrischungen fröhlich zu schmausen und dann vergnügt singend den Heimgang anzutreten. Das enge Zusammengehen der offiziellen Kreise konnte natürlich auf die geselligen Beziehungen der sehr gemischten eingeborenen Bevölkerung untereinander nicht ohne günstigen Einfluss bleiben. Moslim, Christen und Juden gingen friedlich ihre Wege neben- und miteinander, erfreuten sich gleichmässig der friedvollen, gesegneten Zeit, und von einem Religionshasse konnte damals keine Rede sein.

Und doch war Osman Pascha trotz seinem überaus leutseligen Wesen kein Christenfreund; er begünstigte die Moslim und zog sie den Andersgläubigen vor, wo es nur anging, und wünschte nichts weniger als eine Gleichstellung der Konfessionen. Seine Abneigung gegen die einheimischen Christen, insbesondere die Serben, entsprang jedoch nicht religiöser Befangenheit, denn er huldigte in Sachen der Religion sehr liberalen Anschauungen, sondern war auf politische Beweggründe zurückzuführen. Er war durch und durch Patriot und glaubte das moslimische Element als die hauptsächliche Stütze des Staates kräftigen zu müssen. Hatte er doch in den zwei Jahren seiner Belgrader Wirksamkeit alle Bitternisse eines Gouverneurs in Serbien und den unversöhnlichen Antagonismus zwischen Serben und Türken kennen gelernt, und so war es ihm wohl nicht zu verargen, wenn seine Gedanken immer in der Abwehr der serbischen Aspirationen konzentriert blieben. Zu seiner Ehre aber muss ich feststellen, dass mir kein einziger Akt der Willkür, der Ungerechtigkeit von ihm bekannt ist, dass vielmehr zahlreiche christliche Notabeln gerne gesehene Gäste in seinem Hause waren.

Im Spätherbst 1868 verbreiteten sich in Sarajevo dunkle Gerüchte über eine bevorstehende Abberufung Osman Paschas. Wohl wusste man seit langem, dass ganz besonders die Militärpartei in Stambul gegen ihn schürte, da sie ihm unbefugte Einmischung in rein militärische Angelegenheiten zum Vorwurfe machte. Der von Sarajevo abberufene Kommandant Tscherkess Abdi Pascha hatte jedenfalls viel dazu beigetragen, dass die

Stimmung am Goldenen Horn gegen den Wali von Bosnien eine-
sehr gereizte wurde. Auch konnte nicht ausbleiben, dass man die
Erwerbung von Grundbesitz durch Osman Pascha auf der Pforte-
mit scheelen Augen ansah, denn die Türkei hielt von jeher an
dem Grundsatze fest, dass ein Gouverneur in seiner eigenen
Provinz nicht als Grundherr auftreten solle. Zwar hatte der
Grosswesier seine Zustimmung zum Ankaufe des Gutes Slatina[1]) erteilt oder doch mindestens nichts dagegen eingewendet;
allein die Geschichte machte doch böses Blut und gab den
Neidern und Feinden Osman Paschas Veranlassung zu Verdäch-
tigungen. Unvorsichtigerweise erwarb Osman Pascha
auch bei Sarajevo einen grösseren Grundbesitz, um hier
eine Sommerresidenz, die später vielgenannte Villa Čengić, zu
bauen, und nun ging die Hetze wider ihn in Stambul in allen
Tonarten los. Endlich wollte man wissen, dass die seit Jahren
totgesagte Feudalpartei in Sarajevo eine Anklageschrift gegen
den von ihr ebenso gefürchteten wie gehassten Wali an die
Pforte abgeschickt hätte. Wie dem auch immer sei, so überraschte
es Osman Pascha doch sehr schmerzlich, als er im November
1868 an Stelle des ins Ministerium berufenen Midhat Pascha
zum Generalgouverneur von Ruschtschuk ernannt wurde. Obwohl
das Wilajet von Ruschtschuk als der höchste Provinzialposten galt,
so war Osman Pascha doch weit davon entfernt, in seiner Be-
rufung auf diese Stelle eine Auszeichnung zu erblicken. Dem
alten, nach Ruhe sich sehnenden Pascha tat es leid, das Land
zu verlassen, wo er so vieles geschaffen und sich häuslich ein-
gerichtet hatte. In dieser Stimmung ward er dem früher so oft
bekannten Grundsatze untreu, dass ein Beamter sich unter allen
Umständen den Verfügungen der Pforte bedingungslos unterwerfen
solle; er beauftragte seine Freunde in Stambul, alle Hebel in
Bewegung zu setzen, um seine Abberufung von Sarajevo rückgängig zu machen. Unterdessen hatte sich der neuernannte Wali
Muschir Omer Fewsi Pascha bereits auf den Weg gemacht
und mir seine baldige Ankunft in Sarajevo telegraphisch a gezeigt.
Osman Pascha entschloss sich daher anfangs Dezember abzureisen. Eine unzählbare Volksmenge begleitete den Alten weit

---

1) Vgl. o. S. 10.

vor die Stadt hinaus, bis nach Ilidže, wo das Konsularkorps ihm zu Ehren ein Dejeuner veranstaltete. Ausser den feudalen Herren, die ihre Freude kaum verhehlen konnten, frohlockten nur die serbischen Notabeln, welche bei jedem Wechsel in der Person des Gouverneurs gewohnheitsgemäss ihre Jubellieder anstimmten.

Während nun Omer Fewsi Pascha sich einige Zeit in Mostar aufhielt, um die nötigen Befehle zur Anlage von weitläufigen Olivengärten zu erteilen, begab sich Osman Pascha nach Brčka, wo er sich einschiffen sollte. Da aber infolge des frühen und sehr strengen Winters die Dampfschiffahrt bereits eingestellt war, so telegraphierte er sein Missgeschick an die Pforte, während seine Freunde gleichzeitig alles aufboten, um dieses natürliche Hindernis für Osman Paschas weiteres Verbleiben in Bosnien auszunützen. So traf denn eines Abends in Sarajevo die Kunde ein, dass Osman Pascha in Bosnien verbleibe und bereits die Rückreise nach der Hauptstadt angetreten habe. Der Jubel im Konak und in der Tscharschi war grenzenlos. Ich erhielt noch am gleichen Abende eine Depesche von Omer Fewsi Pascha, mit der er mir seine Ernennung zum Generalgouverneur von Kreta mitteilte. Wiewohl ich mich über die Rückkehr des mir so wohlwollenden Osman Pascha herzlich freute, so konnte ich mich doch der peinlichen Besorgnis nicht erwehren, dass diesem Triumpfe nur zu bald der gänzliche Sturz folgen werde. Osman Paschas Einzug in Sarajevo war trotz der grimmigen Kälte ein imposanter: Die ganze Stadt war ihm entgegengezogen, um ihn in lautem Jubel nach dem Konak zurückzuführen.

Der Winter verging unter den üblichen Festlichkeiten. Der gute Wali wähnte sich sicherer denn je und hob oft mit besonderer Befriedigung hervor, dass er seit Hussrew Beg die längste Amtsdauer aufzuweisen habe.

Ende Februar 1869 erfuhren wir durch die Zeitungen, dass Seine Majestät der Kaiser Franz Joseph im März Kroatien besuchen und bei dieser Gelegenheit bis nahe an die bosnische Grenze kommen werde. Osman Pascha fragte sogleich bei der Pforte an, ob es genehm sei, dass er den Kaiser im Namen des Sultans begrüsse. Viele Tage vergingen, ohne dass eine Antwort

eingetroffen wäre, und da der Kaiser bereits in A g r a m angekommen war, so nahmen wir an, dass die Pforte von jeder
Begrüssung abstehe. Da langte eines Vormittags eine Depesche
des Grosswesiers ein, welche O s m a n P a s c h a anwies, sich unverzüglich mit Gefolge zur Begrüssung des Kaisers an die
Grenze zu begeben. Ich eilte ins österreichische Generalkonsulat,
wo ich in Erfahrung brachte, dass laut Programmes der Kaiser
bereits am folgenden Tage in P e t r i n j e sein würde, um von hier
aus möglicherweise auch G r a d i š k a zu besuchen. Es blieb demnach O s m a n P a s c h a nichts anderes übrig, als ohne Verzug die
Reise anzutreten und das Generalkonsulat zu ersuchen, dieselbe
an Allerhöchster Stelle in A g r a m zu melden. Diese Reise ist mir
Zeit meines Lebens in unangenehmer Erinnerung geblieben
sowohl wegen der grossen physischen Beschwerden als auch
wegen der mannigfaltigen Widerwärtigkeiten, die sich uns sonst
noch entgegenstellten. Das Wetter war schlecht; der letzte
Schnee begann zu schmelzen und machte die Wege grundlos.
Das Gefolge des Walis bestand aus dem Ziviladlatus R a s c h i d
E f e n d i, dem Gendarmerieoberst E m i n B e g, dem Oberstleutnant
des Generalstabes S c h a i n B e g, dem Hauptmann M e h m e d
E f e n d i R a š i d o v i ć, endlich aus meiner Person als Arzt, Sekretär
und Dolmetsch, während der Kaimekam M e h m e d E f e n d i in D e r -
v e n t zu uns stiess. Wir hatten kaum Zeit, das Allernotwendigste
einzupacken, und fort ging es mit dem festen Vorsatze, noch am
Abend des folgenden Tages, also in ungefähr 30 Stunden, B r o d
zu erreichen. Am Abend des ersten Reisetages erreichten wir
K i s e l j a k, wo den Pferden ein paar Stunden Rast gegönnt wurde.
In finsterer Nacht und auf sehr schlechten Wegen fuhren wir
langsam nach B u s o v a č a weiter, wo wir noch vor Tagesanbruch
ankamen. Hier sagte man uns, dass uns die in T r a v n i k bestellten
Vorspannpferde in Z e n i c a erwarten, und so mussten wir mit
unseren ermüdeten Pferden noch vier beschwerliche Wegstunden
über die V j e t r e n i c a zurücklegen. Zu unserer Bestürzung erwiesen
sich die in Z e n i c a für uns bereitgehaltenen Pferde als nicht
brauchbar, und nach verschiedenen vergeblichen Versuchen, andere Pferde aufzutreiben, ging es weiter nach V r a n d u k, wo wir
unser Mittagmahl einnahmen. Das Wetter hatte sich unterdessen

aufgeheitert, aber nur mit grosser Mühe erreichten wir bei Einbruch der Dunkelheit Ž e p č e, und da für den Wagen Osman Paschas auch hier keine passenden Pferde gefunden werden konnten, so setzten wir nach 10 Uhr abends unseren Weg fort in der steten Gefahr, in der undurchdringlichen Finsternis mit unseren Wagen einen Abhang hinabzukollern.

Als wir endlich glücklich am Fusse des V e l j i k a m e n angekommen waren, zeigten uns Fackeln den beschwerlichen Übergang über einen Gebirgsbach, der infolge der Schneeschmelze zu reissender Stärke angeschwollen war und die niedere Brücke vollkommen weggeschwemmt hatte. Wir riefen aus den zunächs gelegenen Gehöften Bauern zusammen, mit deren Hilfe wir die Wagen durch das $1^1/_2 m$ tiefe Wasser hinüberschafften, ein Unternehmen, das auffallenderweise ohne weiteren Unfall gelang. Schlaftrunken und vor Kälte zitternd, kamen wir gegen 3 Uhr morgens in M a g l a j an, der alte Pascha trotz seiner Pelze fiebernd und aufs tiefste niedergeschlagen. Allein die Zeit drängte, und so setzten wir denn, nachdem wir in aller Hast einen schwarzen Kaffee geschlürft hatten, unseren Weg fort. Schon nach einer Viertelstunde aber versagten die abgehetzten schönen Pferde des Paschas vollkommen und mussten samt dessen Wagen zurückgelassen werden, während wir den halb verzweifelten Pascha auf einen unserer Landwagen luden. Bei Tagesanbruch erreichten wir den armseligen H a n Š a v a r l i, wo wir drei beladene Frachtwagen antrafen, die aus B r o d gekommen waren. Ich verhandelte eben mit den Fuhrleuten über die Miete ihrer Pferde, als sich der Retter in höchster Not einstellte. Der Kaimekam von T e š a n j, Abdullah Efendi, war uns mit seinem eigenen Wagen und frischen Pferden entgegengefahren und liess uns alle Not und Mühsal der verwichenen Nacht vergessen. Mit frohem Mute setzten wir unsere Reise fort und noch vor Sonnenuntergang konnten wir unsere Quartiere im »Gelben Hause« in S l a w o n i s c h - B r o d beziehen, von Herzen froh, am späten Nachmittage des dritten Tages, also nach 50-stündiger angestrengter Reise die S a v e erreicht zu haben. In B r o d stellte sich uns ein Hauptmann vor mit der Meldung, dass Seine Majestät noch am folgenden Tage in A g r a m verbleiben werde, die Deputation aber in Fiume empfangen wolle. Ich übergab dem Hauptmanne, der uns nach Fiume zu geleiten den Befehl hatte, das Namens- und Rangsverzeichnis der Deputationsmitglieder; diese selbst aber waren an dem Abende nicht mehr zu sehen, denn sie glaubten, sich von den Mühsalen der langen Landreise bei frohem Zechgelage erholen zu müssen. Am folgenden Morgen standen schon um 4 Uhr Broder Landwagen für uns bereit, und da die Witterung günstig war, so hofften wir in 24 Stunden leicht Sissek zu erreichen.

Gegen 11 Uhr fuhren wir in Neu-Gradiška ein. Hier erst machten wir die Entdeckung, dass auf dem in Maglaj zurückgelassenen Wagen eine Kiste mit den schwarzen Kleidern des Paschas vergessen worden war. Zum Glücke hatte der Pascha seine grosse Staatsuniform bei sich, ohne die wir unverrichteter Dinge hätten nach Sarajevo umkehren müssen. Aber ein schwarzer Efendi-Rock musste dennoch beschafft werden, und so liess ich denn rasch einen Schneider kommen und telegraphierte die von diesem genommenen Masse nach Sissek mit dem dringenden Auftrage, das unentbehrliche Kleidungsstück ohne Verzug anzufertigen.

In Neu-Gradiška fand sich der Oberst mit einigen Offizieren zu unserer Begrüssung ein. Die Regimentskapelle war zur Mittagstafel befohlen, und unsere Deputationsmitglieder fühlten sich in der Gesellschaft der österreichischen Offiziere so wohl, dass niemand an die Weiterreise dachte. So kam es, dass wir erst gegen Abend unsere Wagen wieder bestiegen. Das Wetter hatte mittlerweile umgeschlagen, und vor Sunja wurden wir von einem Schneesturme überrascht, der uns zwang, in Kutinje in einer schlechten Herberge Zuflucht zu suchen. Halb erfroren trafen wir am nächsten Tage in Sissek ein. Hier wartete unser eine neue unliebsame Überraschung. Der telegraphisch bestellte schwarze Rock war nicht fertiggestellt und ein für den sehr korpulenten Pascha passendes Kleidungsstück dieser Art überhaupt nicht aufzutreiben. Der Zug nach Agram war auch schon abgegangen, und so musste ich denn einen Sondertrain bestellen mit welchem wir gegen 11 Uhr unsere Reise ohne den ominösen schwarzen Rock fortsetzten. Im Agramer Bahnhofe wurden wir von dem kommandierenden General und den Spitzen der Behörden begrüsst, worauf nach einem üppigen Dejeuner die Reise nach S t e i n b r ü c k fortgesetzt wurde, um hier den Wiener Zug zu besteigen. In A g r a m hatte sich uns der alte halbtaube W i c k e r h a u s e r als offizieller Dragoman angeschlossen. In S t. P e t e r wurden wir in Postwagen eingepfercht, und wir priesen uns glücklich, als wir nach einer kalten, schlaflosen Nacht gegen 8 Uhr früh in F i u m e ankamen. Der uns zugeteilte Hauptmann meldete O s m a n P a s c h a, dass wir um 11 Uhr von Seiner Majestät empfangen werden würden, und da war es nun eine schwierige Aufgabe für mich, die Toilette meiner Kameraden zu überwachen und ihnen die wichtigsten Vorschriften der Etikette einzuschärfen.

Die Vorstellung bei Sr. Majestät verlief anstandslos. Der alte O s m a n P a s c h a machte in seiner goldstrotzenden Uniform und mit seinem ehrwürdigen intelligenten Gesichte offenkundig einen höchst günstigen Eindruck. In den Strassen wurden wir fast wie exotische Tiere begafft und verfolgt, während wir dem G r a f e n A n d r ä s s y, dem Feldzeugmeister G a b l e n z, dem Statthalter Generalmajor W a g n e r und dem Gouverneur von Fiume Č e h, unsere Besuche abstatteten. In unsere Wohnung zurückgekehrt, trafen wir den Personaladjutanten Sr. Majestät, G r a f e n W a l l i s, an, der uns die üblichen Dekorationen überreichte, u. z. Osman Pascha das Grosskreuz des Leopoldordens, Raschid Efendi die Eiserne Krone II. Klasse, mir das Komturkreuz des Franz-Joseph-Ordens, dem Oberst und dem Oberstleutnant die Eiserne Krone III. Klasse usw. Diese Dekorationen gaben einen neuerlichen Anlass zu einem Champagnergelage, und da die meisten Mitglieder der Deputation im Verlaufe des Tages im Vertilgen geistiger Getränke auch sonst nichts weniger als mässig gewesen waren, so sah ich der auf 6 Uhr abends angesagten Hoftafel nicht ohne Besorgnis entgegen. Allein auch diese Prüfung verlief ohne Anstand. Beim Cercle beehrte mich Seine Majestät mit einer längeren Ansprache, wobei er sich zunächst nach unseren Beziehungen zu Montenegro erkundigte und die Hoffnung aussprach, dass dieselben immer sehr freundschaftliche bleiben mögen. Man mochte dem Kaiser mitgeteilt haben, dass ich durch

mehrere Jahre Leibarzt und Sekretär des Serdars E k r e m O m e r-
P a s c h a gewesen sei, denn Seine Majestät fragte in weiterem
Verlaufe lebhaft nach dem Befinden und den Familienver-
hältnissen des Paschas, der sich in W i e n durch seine tollen
Streiche ein Andenken gesichert hatte.[1] Ich antwortete, dass ich,
den Serdar erst vor wenigen Monaten in S t a m b u l gesehen hätte,,
kränklich und zum Skelett abgemagert, ein gebrechlicher Greis,
aber noch immer flatterhaft wie in seiner Jugend. Nach dem
Cercle ging es unter strömendem Regen ins Théâtre paré, wo
eine italienische Truppe die »Semiramis« aufführte. Im zweiten
Akte beschied der Kaiser den strahlenden O s m a n P a s c h a, der
während des ganzen Abends die Aufmerksamkeit des Fiuman e r
Theaterpublikums an sich fesselte, zu sich in die Loge und unterhielt sich mit ihm ohne Dragoman in französischer Sprache.

Während der Kaiser Tags darauf nach Z e n gg und C a r l o p a g o
abreiste, verblieben wir noch im F i u m e, wo O s m a n P a s c h a
sämtliche Magazine durchstöbern liess, um passende Geschenke für
die Freunde in S a r a j e v o einzukaufen. Unterdessen hatte ich in
Erfahrung gebracht, dass der Schatzmeister des Walis bloss 500
Dukaten mitgenommen hatte, von denen nach dem unaufhörli-
chen Zechen nur etwa 70 zur Begleichung der Hotelrechnung
und zur Bestreitung der Kosten unserer Rückreise nach R a g u s a
übriggeblieben waren. In dieser peinlichen Verlegenheit fiel mir
ein, dass der Bürgermeister von F i u m e, Herr C i o t t a, mit
dem Hause H e n r y D'.... in S i s s e k in Verbindung stehe, welch.
letzteres ein bedeutendes Holzgeschäft mit der bosnischen Regierung abgeschlossen hatte. Ich wendete mich also durch Vermittlung des Herrn C i o t t a nach S i s s e k, und nach zwölfstündigem
bangen Warten traf die sehnlichst erwartete Anweisung auf 1000
Dukaten ein, welche uns aus der beängstigenden Klemme erlöste.
Ohne ausruhen zu können, überwachte ich sodann die Einschif-
fung meiner grossenteils nicht mehr ganz zurechnungsfähigen
Kameraden auf den »Andreas Hofer,« der uns mit dem Statthalter Generalmajor W a g n e r nach Z a r a brachte. Nachdem wir
auch hier einem Souper und einer Soirée beim Statthalter haben
beiwohnen müssen, führte uns der »Andreas Hofer« nach R a g u s a,

---

[1] Vgl. Erinnerungen 245 f.

wo die Deputationsmitglieder, die nun einmal Lunte gerochen hatten, noch zwei volle Tage in Saus und Braus verschwelgten. Unsere Heimfahrt nach S a r a j e v o gestaltete sich zu einem festlichen Triumphzuge; es war der letzte, den O s m a n P a s c h a in Bosnien feiern sollte.

Bald nach unserer Rückkehr aus F i u m e wurde der Archimandrit V a s o P e l a g i ć seines Amtes als Leiter der neueingerichteten serbisch-orthodoxen theologischen Lehranstalt in B a n j a - l u k a entsetzt, um in S a r a j e v o vor ein besonderes Gericht gestellt zu werden. Der junge Geistliche, ein gebürtiger Bosnier, der jedoch in B e l g r a d und K i e w erzogen worden war, bekannte offen seine grossserbischen Ideen und seine revolutionären Absichten. Die Schüler des Seminars hatten sich natürlich die politischen Grundsätze ihres Lehrers zu eigen gemacht, sangen nachts in den Gassen von B a n j a l u k a aufreizende serbisch-nationale Lieder und schimpften weidlich auf die türkische Regierung, wo und wann sich hiezu nur eine Gelegenheit fand. Natürlich gerieten sie in Konflikt mit den Behörden, und P e l a g i ć wurde in die Metropolie von S a r a j e v o gebracht. An einem Sonntage nun liess O s m a n P a s c h a den grossen Rat zusammentreten, in den er ausser dem Metropoliten noch sechs der angesehensten serbischen Notabeln berief. Der Wali verlas den Bericht der Lokalbehörden von B a n j a l u k a über die dortigen Vorgänge, in denen die politische Agitation des Archimandriten ausführlich geschildert wurde. Keine Regierung könne einem solchen Treiben gegenüber gleichgültig bleiben, meinte der Wali, und auch er hätte Pelagić mit vollem Rechte ins Gefängnis werfen und dem Strafgerichte überantworten können; er habe ihn aber in Anbetracht der grossherzigen Gesinnung, welche der Sultan für alle seine Untertanen hege, nur beim Metropoliten internieren lassen, um ihm heute vor dem versammelten Rate das Recht der Selbstverteidigung einzuräumen. Hierauf wandte sich der Wali an den Metropoliten mit der Aufforderung, den anwesenden P e l a g i ć zu fragen, ob die gegen ihn erhobenen Beschuldigungen richtig seien. Kaum hatte der Metropolit in diesem Sinne die Frage gestellt, als dieser von seinem Stuhle aufsprang, um mit schreiender Stimme und heftig gestikulierend eine Flut von Schmähungen über die Behörden

von Banjaluka wie überhaupt über die türkischen Bedrücker der
Serben auszustossen, mit zornglühenden Augen die Knechtschaft
der Raja zu schildern und die Rache Gottes über die Tyrannen
anzurufen. Im ersten Augenblicke war die ganze Versammlung
starr vor Entsetzen, bis Osman Pascha seinem Adjutanten winkte,
den Fanatiker in ein Nebenzimmer abzuführen. Hierauf wandte
sich der Wali an die anwesenden serbischen Notabeln, indem er
ihr Urteil über das soeben Vorgefallene einholte; alle missbilligten
natürlich ein solches unerhörtes Auftreten. Osman Pascha
schloss nun die Versammlung mit der Mitteilung, dass es seine
Absicht gewesen sei, dem jungen Manne, falls er sich anständig
benehmen sollte, nach scharfem Verweise einfach den Laufpass ins
Ausland zu geben; dass ihm aber nun nichts anderes übrig-
bleibe, als eine Masbata (Protokoll) über den Vorfall aufsetzen
und den Popen unter Eskorte nach Stambul an die Hohe
Pforte abführen zu lassen. Dies geschah denn auch, und damit
begann die Epopöe des nachher in der ganzen slawischen Welt
so viel genannten Vaso Pelagić, des politischen und sozia-
listischen Schwärmers, der seit jener Zeit von einem Gefängnisse
ins andere, von einer Verbannung in die andere wandern musste.

Anfangs Mai 1869 wurden in der Tscharschi wiederum
allerlei dunkle Gerüchte über eine bevorstehende Abberufung
Osman Paschas verbreitet. In seiner nächsten Umgebung
bemerkte ich wohl ab und zu beunruhigten Mienen, aber schon
nach wenigen Tagen schien jede Sorge geschwunden zu sein.
Der gute Pascha beschleunigte den Bau seiner Villa nächst
Sarajevo (o. S. 26), welche mit allem damals erreichbaren Komfort
ausgestattet werden sollte, und zog an einem Donnerstag abends
mit seinem Harem hinaus, um die erste Nacht auf dem neuen
Landsitze zuzubringen. Gerade als er den Wagen besteigen
wollte, überreichte man ihm eine kurze chiffrierte Depesche des
Grosswesiers; er übergab sie ahnungslos dem anwesenden Defterdar mit dem Auftrage, sie zu entziffern und ihm nachzu-
schicken. Der Defterdar steckte die Depesche zu sich, erinnerte
sich ihrer aber erst am nächsten Tage, und es war schon
ziemlich spät, als er den Sekretär zu sich beschied, um die Depesche entziffern zu lassen. Kaum hatte dieser, welcher Osman

Pascha sehr anhänglich war, die Ziffern überblickt, so erblasste er und geriet in die grösste Aufregung. Die kurze Depesche lautete: »Unverzüglich das Amt dem Defterdar übergeben und nach Stambul abreisen.« Lange starrte der Wali, dem statt der erwarteten Freitagsbesuche diese ominöse Depesche als erster Gruss in seine neue Villa einlangte, auf die wenigen Worte, ohne eine Muskel zu bewegen; dann entrang sich seiner breiten Brust ein tiefer Seufzer, er berief sämtliche Diener zu sich und befahl sofort einzupacken, da er noch am Nachmittage abreisen werde.

Es war ein ergreifender Abschied. Ich sah ergraute Männer weinen, als sie dem guten Wali zum letztenmal die Hand küssten.

Eine zweite, offene Depesche brachte uns die Kunde, dass an Stelle Osman Paschas der Muschir Safwet Pascha zum Militär- und Zivilgouverneur ernannt worden sei, zur grossen Bekümmernis aller, die ihn persönlich kannten.

Nachträglich erfuhren wir, dass die Militärpartei am Goldenen Horn einen neuen Anlauf gegen Osman Pascha unternommen, diesmal aber die Mine im Serail selbst gelegt habe. Dem leichtgläubigen Sultan Abdul Asis wurde ins Ohr geflüstert, dass Osman Pascha als ein echter Zögling Mehmed Ali Paschas von Ägypten höchstwahrscheinlich Unabhängigkeitsgelüste hege; dass er die immer nach Selbständigkeit lüsternen Bosnier für sich zu gewinnen suche, grosse Güter in Bosnien erwerbe und in Sarajevo sich ein Serail erbaut habe; ja man liess sogar Andeutungen fallen über ein Einverständnis mit Österreich, dessen Basis gelegentlich des Kaiserbesuches in Fiume gelegt worden sei. Der Sultan befahl die unverzügliche Abberufung Osman Paschas, und der Grosswesier Ali Pascha, obwohl von der Unschuld des Gemassregelten vollkommen überzeugt, musste nachgeben und hatte nicht geringe Mühe, dem langjährigen und hochverdienten Wali von Bosnien, der in völlige Ungnade gefallen war, eine magere Gnadenpension zu erwirken. Osman Pascha liess seine Liegenschaften in Bosnien verkaufen,[1]) zahlte seine Schulden und erwarb ein kleines

---

1) Seine Besitzung bei Sarajevo kaufte Derviš Pascha Čengić mit dem Beinamen Dedaga, die nach diesem bei den Einheimischen Dedagini konaci, bei den Eingewanderten Čengić-Villa heisst.

nettes Landhaus am B o s p o r u s, wo er noch einige Jahre in stiller Zurückgezogenheit verlebte. Er starb, hochgeehrt und betrauert von allen, die ihn persönlich kannten, im Jahre 1874 in seinem 74. Lebensjahre.

Heute noch gedenke ich in tiefer Rührung der glücklichen Zeit O s m a n P a s c h a s, dieses vortrefflichen Mannes, ausgezeichneten Beamten, duldsamen Philosophen und Wohltäters der Armen. Mir war er nicht nur ein aufrichtiger Freund, sondern ein zärtlicher Vater. Alle in S a r a j e v o wohnhaften Europäer R o u s s e a u, J o v a n o v i ć, H o l m e s, B l a u, H a a s, M o u l i n und F r e e m a n, alle waren einig in der Wertschätzuug und Verehrung O s m a n P a s c h a s. Mir aber ist und bleibt es ein erhebendes Bewusstsein, ein warmherziger Mitarbeiter des biederen Walis gewesen zu sein, trotz den Angriffen, denen ich dazumal in einem grossen Teile der slawischen Presse ausgesetzt war, denn der Name O s m a n P a s c h a bleibt mit goldenen Lettern eingetragen in der Geschichte von Bosnien.

II. Safwet Pascha (1869—1871).

Der neue Wali, Muschir S a f w e t P a s c h a, ein angehender Fünfziger, war aus der türkischen Militärschule hervor-
gegangen. In Militärsachen trotzdem wenig bewandert, einige
Brocken Französisch sprechend, war er aus unverdienter Protektion
schnell emporgekommen, ohne je etwas Erspriessliches geleistet
zu haben. Da er zum erstenmal einen Zivilposten bekleidete,
so war über seine administrativen Kenntnisse und Fähigkeiten
nichts bekannt. Dass er dem Bakschisch besonders zugänglich
sei, war jedoch ein öffentliches Geheimnis. Ich war ihm aus
S k u t a r i bekannt, wohin er im Jahre 1862 in einer Spezial-
mission an den Serdar E k r e m O m e r P a s c h a gesandt worden war. Aus diesem Grunde beliess er mich in den Funktionen
eines Dolmetsch und Sekretärs der politischen Angelegenheiten.

In den Sommer 1869 fällt ein von den Bewohnern von
S a r a j e v o angezettelter kleiner Krawall gegen die Militär-
assentierung, welcher sich bis in das Sandschak Novi-Pazar fort-
pflanzte. Hier kam es bei dem Städtchen B j e l o p o l j e zu
einem ernsten und blutigen Zusammenstosse mit den regulären
Truppen, welche unter dem Brigadier S e l i m P a s c h a zur
Unterdrückung der Unruhen dahin beordert worden waren.

Um dieselbe Zeit führte auch die versuchte Assentierung
in dem südlichen Teile Dalmatiens zu schweren und blutigen
Kämpfen. Im Herbste 1869 erfuhren wir aus den Zeitungen
sowie aus den Berichten unseres Generalkonsuls P e r s i ć in

Ragusa, dass in den Bocche di Cattaro eine starke Bewegung gegen die Einreihung der Bocchesen in die Landwehr immer mehr um sich greife. Dieser Widerstand nahm bald einen drohenden Charakter an, und als die Truppen zur Aufrechterhaltung der Ordnung anrückten, entbrannte der offene Aufstand. Da sich die Revolte immer mehr in den Bergen der Krivošije konzentrierte und die erste Expedition, welche unter Führung des Brigadiers Jovanović zur Verproviantierung der Feste Dragalj abgegangen war, blutig abgewiesen wurde, erhielt Safwet Pascha vom Grosswesier den Befehl, sich sogleich nach Trebinje zu begeben und strenge Massregeln zur Sicherung unserer Grenze zu ergreifen.

Anfangs November traten wir über Travnik, Livno und Sinj die Reise nach Spalato an, von wo uns der Avisodampfer »Andreas Hofer« nach Ragusa brachte. Safwet Pascha hatte unterdessen die nötigen Instruktionen erhalten, welche ihn anwiesen, im Einvernehmen mit den österreichischen Behörden alle Vorkehrungen zu treffen, damit der Aufstand nicht auf die türkischen Grenzbezirke übergreife, namentlich aber auch zu verhüten, dass unsere Grenzbewohner von Sutorina, Zubci und Banjani ihren Glaubensgenossen in der Krivošije Hilfe zukommen liessen. Bald nach unserer Ankunft in Ragusa erhielt Safwet Pascha aus dem Palaste Dolmabagtsche eine chiffrierte Depesche des Grosswesiers, welche besagte, dass auf Befehl des Sultans den österreichischen Truppen der Übertritt auf türkisches Gebiet zur Verfolgung oder Umgehung der Insurgenten zu gestatten sei. So naiv Safwet Pascha in politischen Dingen dachte, so war er doch über diese Depesche einigermassen verblüfft; nach kurzem Nachdenken glaubte ich jedoch den Schlüssel zu diesem Rätsel gefunden zu haben. Aus den Zeitungen wusste ich, dass Kaiser Franz Joseph auf seiner Reise zur Feier der Eröffnung des Sues-Kanals sich seit zwei Tagen in Stambul als Gast des Sultans Abdul Asis aufhalte, und ich schloss daraus, dass in der Unterredung zwischen den beiden Herrschern auch der Aufstand in den Bocche berührt worden sei. Kaiser Franz Joseph dürfte bei dieser Gelegenheit geäussert haben, es wäre ihm lieb, wenn die türkischen Behörden in der Hercegovina strenge darauf sehen würden, dass der Insurrektion von hier aus keine Nahrung zufliesse. Es ist auch anzunehmen, dass im weiteren Verlaufe des Gespräches der Kaiser auf die Schwierigkeiten hinwies, welche durch die nahe Landesgrenze gegeben seien, weshalb die ottomanische Regierung nicht gleich auf eine absichtliche Grenzverletzung schliessen möge, wenn im Eifer des Kampfes die nicht von jedermann gekannte Grenzlinie überschritten werden sollte. Der schwachsinnige Sultan dürfte diese Mitteilungen missverstanden und den Befehl zur Absendung des erwähnten Telegrammes an Safwet Pascha gegeben haben. Nur so konnte ich mir das Zustandekommen dieses Befehles erklären und ich gab dem Wali den Rat, weitere Weisungen über diesen Punkt abzuwarten. In der Tat kam Tags darauf eine zweite chiffrierte Depesche des Grosswesiers, welche dem Wali auf das nachdrücklichste nur die genaue Beobachtung und Durchführung der zuerst schriftlich erteilten Instruktionen auferlegte. Dieses eine Wörtchen »nur« kennzeichnet wohl zur Genüge die Geschäftsroutine der Pforte.

Brigadier Ahmed Pascha, Kaimekam Ali Beg und Major Ahmed Aga wurden aus Trebinje zum Wali berufen. Es wurde dann lange darüber beraten, wie man die Befehle der Pforte am zweckmässigsten ausführen sollte, aber etwas Praktisches kam nicht zum Vorschein. Endlich nahm ich das Wort und setzte auseinander, dass wir mit der Besatzung von Zubci allein die Grenze absolut nicht beherrschen, da Kruševica und Sutorina weiter vorgeschobene Posten seien und die wahre Grenzlinie gegen die Krivošije bilden. Da sich beide Stämme, d. i. Kruševica und Sutorina, seitdem Frieden von 1862 als völlig herrenlos betrachteten, so hätten wir jetzt einen trefflichen Vorwand, sie zu besetzen und wieder in unseren rechtmässigen Besitz zu bringen. Ich verfolgte dabei auch die Absicht, die im Jahre 1861 erfolgte unwürdige Entwaffnung der tapferen kleinen Schar Arnauten in der Sutorina, die dem dortigen Insurgentenführer Luka Vukalović[1]) bis zum äussersten standgehalten hatte, zu rächen. Safwet Pascha stimmte

---

1) Vgl. Erinnerungen aus dem Leben des Serdar Ekrem Omer Pascha 137 ff. 155.

meinem Vorschlage zu, und die Sache wurde telegraphisch dem Kriegsminister vorgelegt. Schon am nächsten Tage traf die Zustimmung des Seraskiers A w n i H u s s e i n P a s c h a ein, deren strenge Geheimhaltung bis auf weiteres beschlossen wurde.

Während unseres Aufenthaltes in R a g u s a gab der Wali dem Offizierskorps und der Beamtenschaft ein Bankett, um sich auf diese Weise erkenntlich zu zeigen für die gastliche Bewirtung, deren er selbst mit seinem Gefolge auf dieser Reise in S i n j und S p a l a t o teilhaftig geworden war. Ich tat mein möglichstes, um die sechzig Gedecke so gut zu besorgen, als es in R a g u s a überhaupt möglich war. Da die meisten höheren Offiziere und Beamten der französischen Sprache nicht in hinreichendem Masse mächtig waren, so fungierte ich als Dolmetsch, wessen ich herzlich froh war, da ich dabei die undiplomatischen, ja einfältigen Bemerkungen S a f w e t P a s c h a s abzuschwächen oder ganz zu unterdrücken vermochte. Der Wali hatte es sich nämlich in den Kopf gesetzt, die dalmatinischen Behörden über eine angeblich die ganze Provinz bedrohende Insurrektion aufzuklären, von der er durch seine Konfidenten in B i h a ć und L i v n o sichere Kunde erhalten hätte. Schon in S i n j und in S p a l a t o hatte er gegenüber den Vertretern der dortigen Lokalbehörden dieses leidige Thema angeschlagen, und nun in R a g u s a ging die Sache erst recht los.

Endlich brachen wir nach T r e b i n j e auf, und auf dem Wege erfuhr ich, dass der saubere Wali von unserem Konsulate die Rechnung für das Bankett um 50 Dukaten hatte höher bestätigen lassen, als dieses in Wahrheit gekostet hatte. Gleichzeitig hatte sein Kammerdiener einen silbernen Leuchter des Generalkonsuls »aus Versehen« mitgenommen. S a f w e t P a s c h a rechtfertigte somit den schmutzigen Ruf, der ihm vorausgegangen war, schon bei der ersten Gelegenheit aufs glänzendste.

Alle Vorbereitungen für unseren Zug nach der S u t o r i n a waren getroffen. Unter anderem hatte ich vom Wali die Zustimmung erhalten, dass kein Bewohner von T r e b i n j e sich unserer Kolonne anschliessen dürfe und dass insbesondere kein Beg oder Aga sich in der S u t o r i n a zeigen dürfe, um die Liegenschaften zu reklamieren, welche die dortigen Bewohner seit 1860 sich angeeignet hatten. Unser Auszug aus Trebinje war auf einen Sonntag festgesetzt, als unerwarteterweise Tags vorher der öster-reichische Vizekonsul Reglia aus Mostar in Trebinje ein-traf. Wie befreundet wir auch seit Jahren waren, so brachte sein nervöses Temperament doch oft genug eine peinliche Spannung in unsere Verhandlungen, weshalb ich seine Ankunft am Vor-abende unseres Ausmarsches nach der Sutorina mit einiger Besorgnis aufnahm. Herr Reglia eröffnete uns, dass er im Auf-trage des Generalkonsuls in Sarajevo, beziehungsweise der österreichischen Regierung den Wali auf die Wichtigkeit der diesem betreffs der Überwachung der Grenze von der Pforte erteilten Instruktionen aufmerksam zu machen und um die Mitteilung zu ersuchen habe, was für Massregeln in diesem Sinne bereits ge-troffen seien. Schliesslich vertraute uns Herr Reglia an, dass er am nächsten Tage mit sicherer Begleitung über Zubci, Suto-rina und Castelnuovo nach Cattaro zum Feldmarschalleut-nant Fürsten Auersperg zu gehen beabsichtige, der daselbst an Stelle des verwundeten Brigadiers Jovanović den Befehl über die Operationstruppen übernommen hatte. Glücklicherweise hatte ich früher schon Gelegenheit gehabt, Safwet Pascha zuzu-flüstern, er möge ja kein Wörtchen über die geplante Besetzung der Sutorina fallen lassen, und nun bemühte ich mich Herrn Reglia begreiflich zu machen, dass der von ihm in Aussicht genommene Weg sehr schlecht und zeitraubend sei, so dass er nicht hoffen könne, in Castelnuovo den nach Cattaro ab-gehenden Dampfer zu erreichen. Diese Einwendungen bestimmten den Vizekonsul sogleich nach Ragusa abzureisen; ich aber schrieb sofort an unseren Generalkonsul, er möchte in der Früh-stunde des Sonntags dem Fürsten Auersperg wie dem Kreis-hauptmanne von der im Interesse einer wirksamen Beobachtung der Grenze geschehenen Besetzung der Sutorina Mitteilung machen und beifügen, dass unsere Truppen möglicherweise ge-zwungen sein würden, auf österreichischem Gebiete bei Mrcine auf einer Länge von etwa $1^1/_2$ Kilometern zu marschieren.

Gegen Mitternacht wurde das Jäger-Bataillon, welches, wie immer im Sommer und Herbste, auf dem linken Ufer der Tre-bišnjica gegenüber dem Konak unter Zelten lagerte, geräuschlos geweckt, mit Munition versehen und zum Abmarsch formiert. Lautlos zogen wir durch die Gärten hinaus nach dem 3 Stunden entfernten Z u b c i, vor dessen Kaserne uns ein zweites Jäger-Bataillon in feldmässiger Adjustierung erwartete. Es mochte ungefähr 9 Uhr morgens sein, als wir, ein steiniges Tal hinuntersteigend, das österreichische Dorf M r c i n e vor uns erblickten. Wir machten halt, und der Major A h m e d A g a erteilte den strengen Befehl, dass die Bataillone in geschlossener Kolonne, ohne Horn- und Trommelsignale, durch das Dorf marschieren und dass erst ausserhalb des Dorfes, auf türkischem Gebiete, bei einer Quelle gerastet werde. Der Durchzug vollzog sich in musterhafter Ordnung. Als wir bald darauf auf der schönen Marmontstrasse in das Sutorinatal hinabstiegen, liessen wir die Hörner lustig gegen die Anhöhen hinauferschallen. Auf der Talsohle der S u t o r i n a stehen keine Dörfer, sondern diese bekränzen zerstreut die Anhöhen mit schönen, beschatteten Häusern. Der Lärm unserer türkischen Musik weckte die Einwohner aus ihrer tiefen Ruhe, und bald sahen wir die Leute herumrennen und hörten einige Alarmschüsse aus Pistolen abfeuern. Die Leute überlegten sich die Sache jedoch, und bald kamen die Dorfältesten mit tiefen Bücklingen auf uns zu und wollten dem Major und mir die Steigbügel küssen. Wir machten halt und verkündeten den immer zahlreicher sich versammelnden Bewohnern, dass wir auf Befehl des Sultans in friedlicher Absicht gekommen seien, um auch hier zu bleiben. Wir beruhigten sie ferner, dass jedermann ungehindert seiner Arbeit nachgehen könne, und luden sie schliesslich ein, uns ans Meeresufer zu begleiten. Der Zug ging lustig weiter, vorüber an dem Hügel, wo L u k a V u k a l o v i ć im Jahre 1861 der Brigade R o d i ć zu trotzen drohte,[1]) vorüber an der Schenke, wo ich im Frühjahr 1862 von demselben besoffenen Wojwoden angehalten wurde.[2]) Das Meer lag vor uns, die Truppen stellten sich in Parade auf, die Fahnen flatterten, die Musik gab das Zeichen und aus mehr als 1000 Kehlen erscholl dreimal der Ruf »Padischahi tschok jascha« weit über C a s t e l n u o v o in die Buchten der Bocche hinaus.

1) Erinnerungen 165 ff.
2) Ebenda 179 f.

In demselben Augenblicke sahen wir den aus Ragusa kommenden Dampfer, auf welchem sich Vizekonsul Reglia befand, in Castelnuovo einlaufen. Nach einiger Zeit erzählte mir unser Generalkonsul Persić, dass Reglia, als er unsere Truppen erblickte, die heftigsten Invektiven gegen mich ausstiess, mich einen Intriganten schalt, »peggio di un Turco«, was alles ihn aber nicht hinderte, mir später vollkommen recht zu geben.

Auf dem Platze, wo früher unsere Kula gestanden hatte, erhob sich nun eine neuerbaute kleine Kirche, die noch nicht eingeweiht war und deren Pforte offenstand. Auf mein Befragen gaben die Dorfältesten ihre Zustimmung dazu, dass wir, da es uns an Zelten fehlte, die Munitionskisten und Schreibrequisiten der beiden Bataillone in einer Ecke des Kirchleins unterbrachten. Dies ist der ganze Tatbestand, welcher der serbischen Presse damals Anlass bot, von einer Schändung des Gotteshauses zu faseln, das wir als Stall und Abort benützt hätten!

Der schöne Tag endete leider mit einem heftigen Gewitter, das den im Freien lagernden Soldaten die Freude des Einmarsches gründlich verdarb, während ich mit den Offizieren in einem Wirtshause des nahen Igalo sass, um die Depesche an den Kriegsminister über die friedlich verlaufene Wiederbesetzung der Sutorina aufzusetzen. Am folgenden Morgen wurde 50 Meter vom Meeresufer und ebensoviel von der österreichischen Grenze entfernt der Platz zum Baue eines Blockhauses ausgewählt, welches einer Kompagnie Unterkunft zu gewähren bestimmt war und ausserdem besondere Offiziersräume, Remisen und Küchen enthalten und durch eine Umfassungsmauer in verteidigungsfähigen Zustand versetzt werden sollte. Den versammelten Landesbewohnern wurde erklärt, dass sie in erster Reihe die Arbeiten gegen tägliche Löhnung übernehmen könnten, und sofort wurde zur Aushebung der Fundamente geschritten. Der Bau ging rasch in die Höhe trotz dem anhaltenden Regenwetter. Am Fusse des linken Talgehänges standen die Ruinen der Wohnstätte eines früheren türkischen Agas aus Trebinje, deren Mauern noch gut erhalten waren; sie wurden eingedeckt und als Spital hergerichtet. Die Sutorina hatte sich vollkommen beruhigt, denn die Arbeitslöhne wurden pünktlich ausbezahlt und im Lager herrschte strenge Ordnung und Disziplin, ja die Soldaten verkehrten mit den Landeskindern bald auf dem vertrautesten Fusse.

Während meines zweimonatlichen Aufenthaltes pflegten ich und meine türkische Begleitung den angenehmsten Verkehr mit den österreichischen Behörden in Castelnuovo. Leider war die Stimmung in Offizierskreisen damals nicht gerade rosig, denn in jene Zeit fiel die zweite verunglückte Expedition nach Dragaij, bei welcher die Effekten des Generalstabes mitsamt der Kasse aus der Mitte der Kolonne weggenommen wurden. Noch heute erinnere ich mich des Empfanges des tapferen Jäger-Bataillons aus Castelnuovo, welches den furchtbaren Rückzug zu decken gehabt hatte; die Mannschaft war abgerissen und erschöpft; der Kommandant, ein noch junger baumstarker Major aus Steiermark, erkrankte infolge der Strapazen in der nämlichen Nacht, so dass er nach wenigen Tagen in die Heimat beurlaubt werden musste, wo er bald darauf starb. In Castelnuovo herrschte zuzeiten eine wahre Panik, besonders an einem Abende, an welchem eine Bande unter dem Kondottiere Stojan Kovačević ein Dorf in der Nähe das Fort Spagnulo beschlich und die friedlichen Einwohner brandschatzte. Die Garnison stand die ganze Nacht unter Waffen, und im Einvernehmen mit dem Platzkommandanten Oberst Marino ward gleichzetig eines unserer Bataillone knapp an der Grenze bei Igalo aufgestellt, um im Falle eines Überfalles auf diese Ortschaft gemeinsam mit den österreichischen Truppen vorzugehen. Allein der Wunsch unserer braven Anatolier, die den Feldzug von 1862 mitgemacht hatten, noch einmal mit den Karadagh-Giaur sich zu messen, ging nicht in Erfüllung.

Der Bau unseres Blockhauses ging seiner Vollendung entgegen, als ich von Safwet Pascha, der bereits nach Mostar abgereist war, eine Zuschrift erhielt, in welcher er mir ankündigte, dass er in der Sutorina den Bau einer noch grösseren Kaserne zur Unterbringung eines ganzen Bataillons beabsichtige. Die Bewilligung hiezu erwarte er täglich von der Pforte; ich solle unterdessen den geeignetsten Bauplatz in der Nähe des Meeres aussuchen und die Vorbereitungen zum Baue treffen. Auf eine von den Offizieren und mir wohl motivierte Eingabe gegen diesen Plan erhielten wir nach kaum acht Tagen die Antwort, dass der Kriegsminister den Bau bereits genehmigt habe, und eines Abends rückte der Brigadier S e l i m P a s c h a mit zwei Gebirgskanonen ein und teilte uns mit, dass er das Kommando des Baues und des Lagers zu übernehmen habe.

Ich berichtete nun dem Wali, dass die Notwendigkeit meines längeren Verweilens in der S u t o r i n a wohl nicht mehr vorliege, zumal da die öffentliche Meinung in der soeben erfolgten Ernennung des Generals R o d i ć zum Statthalter von Dalmatien die vollständige Pazifikation der Bocche erblicken wollte. S a f w e t P a s c h a trug mir auf, nach C a t t a r o zu gehen und den neuen Statthalter in seinem Namen zu begrüssen; was mein weiteres Verbleiben in der S u t o r i n a betreffe, so überlasse er die Entscheidung meiner eigenen Einsicht. Ich begab mich also nach C a t t a r o. Die Stimmung war hier im allgemeinen eine gedrückte. Das Militär war mit dem Gange der Operationen gegen die Insurgenten unzufrieden; die katholische Partei in den Bocche befürchtete in der Ernennung des der orientalisch-orthodoxen Kirche angehörenden R o d i ć eine Änderung der Politik zu ihren Ungunsten. Der Empfang bei dem wortkargen, mürrischen R o d i ć, dem alles Türkische aufrichtige Antipathie einflösste, war kalt. Ich war froh, die Bocche verlassen zu können.

Diese meine Mission in der S u t o r i n a hatte nach vielen Jahren ein Nachspiel, welches für den Charakter S a f w e t P a s c h a s bezeichnend ist. Der Pascha war seit mehr als fünf Jahren seines Postens entkleidet und lebte gelähmt in S t a m b u l, als ich eines Tages zum Defterdar berufen wurde, der mich über einige Posten betreffs der Bauten in der S u t o r i n a einvernahm. Ich erklärte, dass ich die von mir, den beiden Majoren und den Baukommissionsmitgliedern unterschriebenen Rechnungen der Regierung eingesandt hätte und daher keine weiteren Auskünfte zu erteilen imstande wäre. Der Defterdar lächelte und meinte, es handle sich nur darum zu erfahren, welche Remunerationen und Diäten ich für meine Mühe und Auslagen von S a f w e t P a s c h a erhalten hätte. Auf meine Bemerkung, dass ich für meine ganze Reise nur die gesetzlichen Gebühren, alles in allem

etwa 70 Gulden bezogen hätte, wies er mir ein Schreiben
des Finanzministers vor, welchem ich entnahm, dass bei einer
nachträglichen Revision der Rechnungen über die Bauten in
der Sutorina ein Posten, lautend auf 18.000 Piaster für den Kommissär Dr. Koetschet, vorgefunden wurde, der mangels jeder
Bestätigung von meiner Seite aufgefallen war. Der Wali hatte
also den Betrag für seine Tasche verbucht. Der Defterdar berichtete an die Pforte im Sinne meiner Aussagen und beantragte die
Erfolgung einer angemessenen Entschädigung an mich, da durch
den mir von Safwet Pascha zugekommenen Betrag nicht einmal meine effektiven Ausgaben gedeckt seien. Ich warte noch
heute auf die Auszahlung.

Obgleich Safwet Pascha bald von Mostar nach Sarajevo zurückzukehren gedachte, gab er mir doch die Erlaubnis,
vor ihm die Heimreise anzutreten. Ich war aber kaum eine Woche zu Hause, als ich eines Abends den telegraphischen Auftrag
erhielt, wieder nach Mostar zu kommen. Trotz allen Gegenvor-
stellungen musste ich bei einer Kälte von 22° R die Reise antreten. Nach Beschwerden und Mühsalen aller Art kam ich erst am
vierten Reisetage in Mostar an. Der Pascha dankte mir für meine
Bereitwilligkeit, verschloss die Tür seines Zimmers und gab Befehl, dass niemand uns stören solle. Nach diesen umständlichen
Vorbereitungen zog er ein Schreiben des Grosswesiers heraus,
welches nichts anderes enthielt als den gemessenen Auftrag, den
beiliegenden Bericht zu studieren, um darnach das Nötige zu
verfügen und baldigst an die Hohe Pforte zu bereichten. Nun
begann er das zwei Seiten umfassende Schriftstück in türkischer
Sprache laut vorzulesen. Nach den ersten Zeilen verstand ich
nur so viel, dass es sich um die slawisch-russische Agitation in
Bosnien und der Hercegovina handle, wie auch, dass das Me-
morandum eine Übersetzung aus dem Französischen und dem
Deutschen sei, welche dem Grosswesier Ali Pascha von be-
freundeter Seite vorgelegt worden war. Nach einer langen Ein-
leitung über das Wesen und die Tendenzen der slawischen Propaganda im allgemeinen, wurden die einzelnen Komitees in den
Balkanländern aufgezählt und insbesondere hervorgehoben, dass
der Metropolit Michael in Belgrad mit der obersten Leitung

der Agitation in Bosnien betraut sei, während das russische Generalkonsulat in R a g u s a und das Vizekonsulat in M o s t a r die Fäden der Agitation in der Hercegovina in Händen hielten. Was speziell M o s t a r anbelangt, so waren nach dem Schreiben der Iguman des Klosters Ž i t o m i š l i ć, S e r a f i m P e r o v i ć, dann der Archimandrit L e o n t i j e R a d u l o v i ć und sein als Schullehrer in M o s t a r wirkender Bruder besonders verdächtig, als eifrige Emissäre der slawischen Propaganda eine umfangreiche Tätigkeit zu entfalten. Nach langem Überlegen entschied sich S a f w e t P a s c h a für eine Hausdurchsuchung und die allfällige Verhaftung der Beschuldigten, und er bestand darauf, dass ich die unangenehme Aufgabe übernehme, das Nest in Ž i t o m i š l i ć auszuheben und P e r o v i ć nach M o s t a r zu bringen. Ich beschwor den Wali, mir diese unerquickliche Polizeimission zu erlassen, allein er verharrte auf seinem Willen, da er diese heikle Aufgabe keinem anderen Beamten anvertrauen könne. Wir kamen schliesslich überein, dass ich nur die Durchsuchung der Schriften vornehmen solle, während die Nachforschung nach versteckten Waffen sowie die allfällige Verhaftung des Igumans dem mich begleitenden Gendarmerieoberst E m i n B e g obliegen solle.[1]

In der Morgenfrühe des nächsten Tages ritten wir über B u n a nach dem Kloster, aus dem eben der Kourier des russischen Vizekonsuls in M o s t a r heraustrat. Hätte ich es nicht energisch verwehrt, so würde unser allzueifriger Oberst den Boten auf der Stelle festgenommen haben. Im Klosterhofe trafen wir den arglosen Iguman im Gespräche mit einem Bauer. Wir stellten uns vor und ersuchten ins Kloster geführt zu werden, während die uns begleitenden Sapties ausserhalb der Umfassungsmauer zurückgelassen wurden mit dem Befehle, niemand hinaus- und hineinzulassen. Das Kloster zeigte in allen seinen Räumen Dürftigkeit, starrenden Schmutz und grosse Unordnung. Die Durchsuchung der Bibliothek und der Schränke in den übrigen Räumen nahm volle zwei Stunden in Anspruch und hätte mir vielleicht manches interessante Schriftstück in die Hände gespielt, wenn ich der serbischen Sprache in höherem Masse mächtig gewesen wäre. So aber begnügte ich mich, einige Briefe des rus

---

[1] Fra Orga Maitić verlegt in seinen im Greisenalter aus dem Gedächtnis diktierten Memoiren Zapamćenja 51 f. die Begebenheit irrtümlich in die letzte Zeit Osman Paschas.

sischen Konsuls, Schriftstücke des Archimandriten R a d u l o v i ć, endlich einige Konzepte und Abschriften von Gesuchen an den russischen Zar zu mir zu nehmen. Ich erinnere mich heute noch des erblassenden Igumans, der mich mit flehenden Augen ansah, so oft meine Hand nach irgendeiner verdächtigen Stelle griff, und ich gestehe heute gerne, dass ich mich als freiheitliebender Christ eins fühlte mit ihm und das meiste unberühr liegen liess, zumal da ich überzeugt war, dass Iguman S e r a f i m nichts weniger als ein gefährlicher Agitator sei. In einer Ecke stand eine grosse schwarze Kiste, welche die Aufmerksamkeit des Gendarmerieobersten besonders anzog; sie enthielt ausser armseligen Kleidern und schmutzigen Messgewändern eine Schachtel mit vier Dukaten und einigen Scheidemünzen. Dies ist der Revo'utionsschatz, sagte ich zu dem verblüfften Obersten. Nach Durchschreitung der übrigen Klosterräume begaben wir uns zur neuen Kirche, in welcher das .Waffendepot hätte verborgen sein sollen. Ich ersuchte E m i n B e g, die Türschwelle nicht zu überschreiten und machte ihm begreiflich, dass die ganze Anzeige doch nur auf leeren Vermutungen beruhe.

Die hässliche Arbeit war beendet, aber der arme Iguman befand sich noch immer in fieberhafter Aufregung. Der Oberst liess sich das einfache, aber schmackhafte Mal im Refektorium gut munden und klopfte öfters vertraulich dem Iguman auf die Schulter, der aber dadurch nicht froher gestimmt wurde. Nach dem Kaffee ersuchte E m i n B e g unsern Wirt, dass er sich sein Pferd satteln lasse, da er den Befehl habe, ihn dem Wali vorzuführen. S e r a f i m erblasste und ein leichtes Zittern ging über seinen ganzen Körper; allein er fasste sich bald, gab seinen Dienern die nötigen Befehle, schwang sich, so wie er war, aufs Pferd und ritt an meiner Seite dahin. Ich gab ihm unterwegs zu verstehen, dass man ihm nicht an den Hals zu gehen gedenke, da er ja doch bei dem Metropoliten absteigen werde. Unser Heimritt ging sehr langsam vonstatten, denn wir vermieden jedes Aufsehen und hielten, die Sapties weit hinter uns zurücklassend, bei jeder Schenke an, um nur ja nicht vor Anbruch der Dunkelheit in M o s t a r. einzuziehen. Hier übergab ich S a f w e t P a s c h a die in Beschlag genommenen Schriften und berichtete über das Ergebnis meiner unliebsamen Mission. Der Pascha seinerseits vertraute mir an, dass die Hausdurchsuchung bei dem Archimandriten Radulović und dessen Bruder, dem Schullehrer, ein sehr günstiges Resultat ergeben hätte, indem sehr wichtige Schriftstücke mit Beweisen des vorbereiteten Aufstandes gefunden worden wären. Aus Sarajevo hatte er die Nachricht erhalten, dass der frühere Kodscha-Baschi[1]) und nunmehrige serbische Agent Gavro Vukčević in der verflossenen Nacht das Weite gesucht, aber seine wichtigen Papiere zurückgelassen habe, und Safwet Pascha beeilte sich, seinen glänzenden Erfolg dem Grosswesier telegraphisch zu berichten.

Nach einer ganz oberflächlichen Untersuchung wurden die drei Freiheitsschwärmer nach der Metropolie von Sarajevo abgeführt, bald aber nach Stambul gebracht und von hier nach dem Pessan, dem südlichsten Teile der afrikanischen Provinz, in die Verbannung geschickt. Wir werden später sehen, wie ich es war, der die Initiative zur Begnadigung der drei Verbannten ergriff.

Als wir nach Sarajevo heimgekehrt waren, konnte ich aus den Gesichtern unserer serbischen Kaufleute herauslesen, wie sehr sie mir meinen Besuch in Žitomišlić übelnahmen. Im Grunde genommen, konnte ich es ihnen nicht verdenken; auch wäre es mir kaum geglückt, ihnen begreiflich zu machen, dass in Ermanglung meiner Person wohl irgendein anderer türkischer Beamte die Vollziehung der Befehle übernommen hätte, wobei Serafim gewiss nichts gewonnen haben würde. Natürlich machte die Sache grossen Lärm und gab allen Zeitungen von Agram bis Belgrad reichen Stoff zu den leidenschaftlichsten Ausfällen auf die türkische Gewaltherrschaft, aber auch zu Angriffen gegen mich, der ja alles angezettelt haben sollte.

Der Märtyrer Serafim Perović wurde nach der Okkupation Metropolit von Mostar und musste — eine schwere Heimsuchung des Schicksals! — in dieser hervorragendsten kirchlichen Stellung seines Heimatlandes die Gegnerschaft seiner eigenen

---

1) Der von der Behörde bestellte Vorsteher eines von Christen bewohnten Stadtvie tels oder auch einer von Christen bewohnten Stadt.

Koetschet-Grassl, Osman Pascha.

Glaubensgenossen, die ihn einst in den Himmel gehoben hatten mit ins Grab nehmen.

Im Frühjahr 1870 traf in S a r a j e v o ein Pole ein, der sich einfach Mr. A r n o l d nennen liess. Er hatte vom Grosswesier A l i P a s c h a ein Schreiben an den Wali mitgebracht, welches diesen anwies, dem Ueberbringer allen nötigen Schutz zu gewähren und alle verlangten Informationen zu erteilen. Mr. A r n o l d war ungefähr 40 Jahre alt, sprach gleich gebrochen Deutsch und Französisch, zeigte immer ein süssliches Lächeln und verstand es meisterhaft, bei den Damen den Schwerenöter zu spielen. Er war ein vorzüglicher Kartenspieler, schien eine ausgebreitete Korrespondenz zu führen und liebte es, sich mit dem Nimbus einer geheimen Mission zu umgeben. Alles in allem erschien er mir als der Typus eines echten Schmarotzers und machte auf mich wie auf viele andere einen sehr ungünstigen Eindruck. Es schien damals überhaupt für Bosnien die Zeit gekommen, da zweifelhafte polnische Emissäre hier ihre Ränke schmiedeten, denn es trieben sich damals in S a r a j e v o noch drei Ingenieure polnischer Nationalität herum, von denen niemand recht anzugeben wusste, womit sie sich eigentlich ihren Lebensunterhalt verdienten. Den serbischen Zeitungen aber gaben diese Männer Anlass, über eine gegen Serbien wie auch gegen Russland gerichtete polnische Agitation Beschwerde zu führen. Ueber A r n o l d s Mission gelang es mir bald mit Hilfe eines politischen Freundes in P e r a genaueren Aufschluss zu erhalten. Ein berüchtigter polnischer Intrigant, dessen Name mir leider entfallen ist, hatte sich soweit in die Gunst des Grosswesiers A l i P a s c h a einzuschleichen gewusst, dass dieser ihm die Errichtung eines geheimen Informationsbureaus zur genauen Überwachung der slawischen Agitationskomitees in Rumänien, Serbien, Slawonien und der ganzen europäischen Türkei anvertraute. Zu diesem Zwecke wurden nach allen Provinzen der europäischen Türkei Agenten entsendet, natürlich ausschliesslich Polen, welche die Aufgabe hatten, die Fäden der panslawistischen Aktion aufzudecken und alle irgendwie bemerkenswerten Wahrnehmungen an das Informationsbureau in S t a m b u l zu berichten. Bereits im Spätsommer 1870 bekam ich Gelegenheit, die fragwürdige

Tätigkeit dieses reichlich bezahlten Polenbureaus kennen zu lernen. Der Wali erhielt nämlich von der ottomanischen Gesandtschaft in W i e n eine in P a r i s gedruckte Broschüre mit dem Titel »L' agitation panslaviste en Orient«. Mit geheimnisvoller Miene übergab mir S a f w e t P a s c h a dieses Machwerk, damit ich ihm darüber Bericht erstatte. In seiner Gegenwart las ich die Broschüre durch, welche nicht mehr und nicht weniger als eine genaue Ordre de bataille der panslawistischen Revolutionspartei zur Anzettlung eines allgemeinen Aufstandes in der Türkei enthielt: Das Zentralkomitee in B u k a r e s t, die Unterkomitees in den bedeutendsten Städten Bulgariens, Serbiens, Bosniens und Makedoniens, die Namen der Präsidenten, Mitglieder und Agenten, die Waffendepots in den zu insurgierenden Gebieten, ja sogar Instruktionen und Befehle des Zentralkomitees und Berichte der Unterkomitees. Kaum hatte ich die Broschüre flüchtig überblickt, so war mir klar, dass alles vom ersten bis zum letzten Buchstaben eine lächerliche Erfindung ist, und in dieser Ueberzeugung wurde ich vollends bestärkt, als ich den Bosnien behandelnden Abschnitt der Schrift einer genauen Prüfung unterzog. In meinem Berichte an den Wali wies ich nach, dass von den 16 mit Namen genannten Mitgliedern des Hauptkomitees in S a r a j e v o nur 2 die landesüblichen Namen R i s t i ć und P e t r o v i ć, welche in den südslawischen Landen so häufig sind wie etwa in Deutschland Schmied und Meyer, führten, dass jedoch auch bei diesen zweien die Vornamen von keinem der in S a r a j e v o lebenden Namensträger geführt wurden, während die Namen der angeblichen Komiteemitglieder von M o s t a r vollkommen erfunden waren. Die vorgeblichen Briefe von bosnischen Agenten standen mit der landesüblichen Denk- und Schreibweise in auffälligem Widerspruche und strotzten von Unkenntnis der Verhältnisse. Unter den Orten aber, die als geheime Waffen- und Munitionsdepots angegeben waren, kamen solche vor (wie V r a n d u k und D o b o j), die eine ausschliesslich moslimische Bevölkerung hatten. Nach diesen haltlosen Berichten über Bosnien, so schloss ich meine Ausführungen, könne man auch auf den Wert der Informationen über Serbien, Bulgarien und die anderen türkischen Provinzen schliessen. Der Wali war vollkommen

4*

verblüfft und sandte meinen Bericht im Original an die Hohe Pforte. Wie vorauszusehen war, nahm das polnische Informationsbureau ein stilles Ende, als nach wenigen Monaten der Grosswesier Ali Pascha starb. Arnold verschwand aus Sarajevo; ich hörte nie mehr von ihm.

Der deutsch-französische Krieg blieb wohl ohne Einfluss auf die Schicksale Bosniens, bot aber wenigstens Gelegenheit zur Beurteilung der Auffassungen und Gefühle der Landesbewohner. Die christliche Bevölkerung bekundete etwas Sympathie für Frankreich, die ottomanische Beamtenwelt beugte sich dagegen vom Anfang an demütig vor dem Sieger und schien sich kaum noch der alten Freundschaft des Besiegten zu erinnern.

Die Herrschaft Safwet Paschas neigte sich zum Ende. Ali Pascha erkannte endlich, dass dieser Mann seinem wichtigen Posten nicht gewachsen sei und veranlasste anfangs März 1871 seine Ersetzung durch Akif Pascha.

III. Akif Pascha (1871) und Mehmed Assim Pascha (1871—1872).

Der neue Generalgouverneur A k i f P a s c h a war zu kurze Zeit im Lande, als dass seine Amtsführung irgend welche Spuren hätte zurücklassen können. Er war ein reicher Grundbesitzer aus Oberalbanien, grundehrlich, in religiösen Fragen überaus duldsam, der Typus eines orientalischen Grand Seigneurs, aber ohne Ehrgeiz und ohne Initiative. So wie er das Land vorfand, so wollte er es verlassen; unsere prekäre Lage gegenüber den aufsteigenden politischen Gewittern schien ihn nicht zu bekümmern.

Nach kaum viermonatlicher Amtsführung traf ihn die Kunde vom Ableben A l i P a s c h a s, des Staatsmannes, der viermal den verantwortungsvollen Posten des Grosswesiers bekleidete und in zwanzigjähriger Tätigkeit das in allen seinen Fugen krachende Staatsgebäude durch seine Weisheit, seine Mässigung und seinen grossen persönlichen Einfluss vor erheblichem Schaden zu bewahren wusste. An seiner Stelle erschien auf der politischen Bühne ein Homo novus, ein Günstling des schwachsinnigen Sultans, der verhängnisvolle M a h m u d P a s c h a, der den alten Staatsbau niederzureissen sich anschickte, ohne an seiner Stelle etwas Neues aufführen zu können. Seinen Amtsantritt kündigte er durch eine Massenabsetzung der Wali an, darunter auch unseres Akif Pascha, und monatelang genossen wir das seltsame Schauspiel, dass die Wali ruhelos von einer Provinz in die andere wandern mussten.

Der an Stelle des abberufenen Akif Pascha zum Generalgouverneur von Bosnien ernannte Mehmed Assim Pascha war mit den Verhältnissen dieser Länder ebensowenig vertraut wie sein Vorgänger. Obschon ein Schüler und Günstling des berüchtigten türkichen Pädagogen Ahmed Wekif Pascha, war er ein ehrlicher Beamte, dessen Hand nie ein Bakschisch besudelt hat. Er besass wohl viele Kenntnisse, sprach auch sehr gut Französisch, war aber einseitig und vertraute viel zu sehr der Machtfülle des Padischahs. Ich gewann bald sein Vertrauen und wurde oft von ihm zu Rate gezogen, obschon er meine Befürchtungen über die täglich wachsenden Gefahren, denen Bosnien entgegenging, durchaus nicht teilen wollte. Als bald nach seinem Amtsantritte vom Ministerium des Äussern, ohne Hinzutun Mehmed Assim Paschas, ein neuer Dragoman für Bosnien ernannt wurde, schied ich von meinem langjährigen politischen Posten, um fortan ganz meinem ärztlichen Berufe zu leben. Indes kam es noch immer vor, dass ich in Fragen von politischer Wichtigkeit, namentlich wenn es sich um Montenegro oder Serbien handelte, um meine Meinung befragt wurde.

Allein auch ein anderer für die Türkei und besonders für Bosnien höchst wichtiger Wechsel hatte sich im Jahre 1871 vollzogen. Graf Beust war durch den Grafen Andrássy ersetzt worden, und ich gedenke noch des tiefen Eindruckes, den eine Parlamentsrede des neuen Leiters der auswärtigen Angelegenheiten Österreich-Ungarns auf mich gemacht hat. Graf Andrássy erklärte nämlich, dass er mit den alten Überlieferungen der Orientpolitik der Monarchie zu brechen und eine neue Politik der Aktion zu inaugurieren entschlossen sei. Bald darauf musste der türkenfreundliche Graf Prokesch-Osten den Botschafterposten am Goldenen Horn an den Grafen Zichy abtreten; B. von Kállay wurde als Generalkonsul nach Belgrad geschickt und nach wenigen Monaten bekam unser ritterlicher, aber bequemer Generalkonsul Soretich in Sarajevo einen

Nachfolger in der Person des von Kállay abhängigen Dr. Svetozar Teodorović aus Belgrad. Für mich bestand kein Zwei-
fel, dass die österreichisch-ungarische Regierung gegenüber der
Türkei neue Bahnen einzuschlagen gedenke, doch war ich ande-
rerseits auch überzeugt, dass die Pforte den gewohnten Weg des
Schlendrians nicht zu verlassen imstande sei.

Im Winter 1871—1872 trat zum erstenmal im öffentlichen
Leben von Sarajevo ein Mann auf, der später zu unverdienter
Berühmtheit, ja zu einem europäischen Rufe gelangen sollte:
Hadschi Lojo. Während zu Osman Paschas Zeiten die
religiösen Rivalitäten nicht aufzutreten wagten und eine gewisse
gegenseitige Toleranz zwischen Moslim und Christen beobachtet
werden konnte, bekamen wir unter Mehmed Assim Pascha
zum erstenmal ein Bild des Religionshasses zu sehen. Die
Moslim machten kein Hehl mehr aus ihren feindlichen Gesinnungen gegenüber ihren christlichen Mitbürgern, besonders den
Serben, denen sie in ihrem Fanatismus nicht verzeihen konnten,
dass der neue Kirchturm der Metropolitankirche in Sarajevo
das Minarett der Hussrew Beg-Moschee an Höhe überrage. Das
schwache Geläute einer einzigen Glocke brachte die moslimischen Sarajli vollends in Harnisch. Natürlich wurde der religiöse Eifer durch Hodscha und Ulema nach Kräften geschürt,
und bald verbreiteten sich beunruhigende Gerüchte unter den
furchtsamen Serben. Wie es hiess, stand ein herumschweifender
Hodscha mit Namen Hadschi Lojo an der Spitze dieser
religiösen Agitation, ein Mann, dessen unruhiges Wesen und
abenteuerlicher Geist den Behörden wohlbekannt war. Schon
Osman Pascha hatte ihn mehreremal verwarnen lassen und
ihm mit der Landesverweisung gedroht. Gross, von athletischem
Wuchse, mit langen Händen und Füssen, von tölpelhaftem Benehmen, glich er allem anderen mehr als einem Angehörigen des
geistlichen Standes; er war ganz und gar unwissend, kannte nur
seine wenigen Koransprüche und war bei grosser Armut mit einem nie zu stillenden Appetit gesegnet. Ich hatte oft Gelegenheit, dem unliebenswürdigen Hodscha zu begegnen, der, so oft
er meiner ansichtig wurde, einige unverständliche Worte zwischen
den Zähnen hervorstiess, die gewiss keine Schmeichelei an meine

Adresse bedeuteten. Solcher Grobheiten überdrüssig, hielt ich ihn einmal an und fragte ihn in strengem Tone und in türkischer Sprache, was er eigentlich an mir auszusetzen habe; er aber murmelte wiederum nur etwas in seinen Bart und wich mir aus. Eines Abends nun, als ich mein Haus in der Čemerlina-Gasse aufsuchte, kam mir abermals der Grobian entgegen. Es war frischer, ziemlich tiefer Schnee gefallen und der Weg nur durch Fusstapfen eng gebahnt. Wie es in solchen Fällen meine Gewohnheit war, blieb ich stehen, mit dem einen Fusse auf dem Wege, dem anderen im Schnee, um das Vorübergehen zu erleichtern. Statt dieser Höflichkeit in gleicher Weise zu begegnen, schritt Hadschi Lojo gerade auf mich zu und schob mich einfach in den Schnee; in demselben Augenblicke jedoch versetzte ich ihm einen Stoss in die Seite, so dass er der Länge nach in den Schnee fiel, und während ich ihm meine Meinung in drastischem Türkisch sagte, hielt ich meinen Stock bereit, um mich des erwarteten Angriffes erwehren zu können. Der Mann aber hob ruhig seinen Turban auf und suchte das Weite ohne zu murren.

Einige Zeit nachher, als die Panik unter den Christen wegen der angeblich angedrohten Demolierung der Kirche und sogar einer beschlossenen Niedermetzelung der Giaur täglich grössere Dimensionen annahm, unternahmen die Konsuln einen Kollektivschritt beim Wali und bezeichneten Hadschi Lojo als den Hauptagitator. Mehmed Assim Pascha versuchte die Lage als nicht im mindesten gefahrdrohend darzustellen, da er ja zur Aufrechthaltung der Ruhe geeignete Massnahmen getroffen habe. Er versprach jedoch Hadschi Lojo unschädlich zu machen, und wirklich wurde dieser in der Saptie-Kaserne interniert, allerdings in der Eigenschaft eines Seelsorgers für die Truppe! Trotz diesen Versicherungen Mehmed Assim Paschas wollten sich die aufgeregten Gemüter nicht beruhigen, und den ganzen Winter und Frühling hindurch gingen Schauermären von Mund zu Mund. Es kam jedoch zu keinen Ausschreitungen, nur dass sich die ausgelassene moslimische Strassenjugend ein Vergnügen daraus machte, nächtlicherweile die vornehmsten serbischen Häuser mit Kot zu bewerfen. Bei Gelegenheit der nächtlichen Feier der orientalisch-orthodoxen Ostern, bei welcher nach

einem dunklen Gerüchte die alte Kirche überfallen werden sollte, rückte der Wali mit sämtlichen Sapties und einer Militärab-
teilung zum Schutze der Kirche aus; die Nacht verging jedoch
ohne die geringste Ruhestörung und die Serben beruhigten sich
allmählich. Einige Wochen später, bei der feierlichen Eröffnung
der neuen Kirche und der dabei ins Werk gesetzten Prozession
durch die Strassen der Stadt, glich Sarajevo einem starrenden
Waffenplatze, denn die gesamte Garnison war ausgerückt, um
die untere Stadt zu besetzen. War das eine gesegnete Zeit für
die Zeitungen jenseits der Save, deren Leser mit spaltenlangen
Berichten aus Sarajevo über Kirchenschändung, Niedermetzelung wehrloser Christen und andere Gewalttaten überschüttet
wurden! Wenn aber auch kein Tropfen Blut geflossen und keine
Kirche gestürmt worden war, so haben die Moslim damals doch
durch ihr ganzes Verhalten ihre Intoleranz, ja teilweise auch
ihren Fanatismus deutlich genug geoffenbart.

Dass Mehmed Assim Pascha auch Charakterfestigkeit
besass, bewies er in seiner Differenz mit dem deutschen Konsul
Dr. Otto Blau. Bisher war es üblich gewesen, dass der Wali
an offiziellen Festen die Konsuln in Uniform mit einer Suite besuche. Mehmed Assim Pascha sagte sich gleich nach seiner
Ankunft von dieser Gepflogenheit los. Als nämlich der deutsche
Vertreter das Kaiserfest beging, liess er ihm mitteilen, er werde
ihm gratulieren lassen. Am Morgen des Festtages berief er mich
und gab mir den Auftrag, mich in Begleitung des Wilajetsekre-
tärs zu diesem Zwecke in das Deutsche Konsulat zu begeben.
Auf meine Bemerkung, dass diese Neuerung begreiflicherweise
nicht ruhig werde hingenommen werden, machte er geltend, dass
auch in Stambul nur ein Beamter des Grosswesiers den auswärtigen Legationen die Glückwünsche überbringe. Als wir zu
der Treppe des Konsulats kamen, rief uns Konsul Blau hinunter, er könne unseren Besuch nicht annehmen und verlange das
Erscheinen des Walis in Uniform, widrigenfalls er durch seine
Regierung Satisfaktion verlangen werde. Der Wali blieb da-
heim, und der Konsul brach die Beziehungen ab. Am nächsten Tage
wurde vom Grosswesier telegraphisch ein Bericht über den Vorfall verlangt. Nach drei Wochen traf eine Mitteilung des Gross-

wesiers ein, welche die Sache für abgetan erklärte: Der Waii
behielt recht, und die Besuche in. Uniform hörten auf.

Im Frühling 1872 wurde der berüchtigte Kondottiere Stojan Kovačević aus Srgjevići bei Gacko durch den Verrat
eines Panduren in Banjani auf ottomanischem Boden verhaftet
und von dem Kaimekam von Bilek, Sulejman Beg, nach
Mostar abgeführt, wo ihm das Schicksal seines vor einigen Jahren auf dem Galgen gestorbenen Bruders bevorstand. Die moslimische Bevölkerung von Mostar frohlockte bereits, den allgemein verhassten und gefürchteten Stojan bald baumeln
zu sehen. Der Fürst von Montenegro wendete sich aber telegraphisch an die Pforte und an den Wali von Bosnien mit
dem Verlangen, dass Stojan Kovačević, welcher seit dem
Jahre 1860 montenegrinischer Staatsangehöriger sei, unverzüglich in Freiheit gesetzt werde. Um diesem Verlangen Nachdruck
zu geben, wurde Stanko Radonić, der Direktor der Auswärtigen Angelegenheiten von Montenegro, nach Sarajevo entsendet, um hier persönlich die Freilassung des Gefangenen zu
betreiben. Doch der Wali zeigte nicht die geringste Geneigtheit,
auf dieses Verlangen einzugehen, und der montenegrinische Delegierte reiste unverrichteter Dinge ab. Die Sache nahm indes
eine zimlich ernste Wendung, als die russische Diplomatie sich
in die Sache einzumischen begann. Die Pforte befahl, das ge-
richtliche Verfahren einzustellen und weitere Befehle abzuwarten.
Eines Morgens traf in Sarajevo die Kunde ein, Stojan
Kovačević sei mit zwei anderen Häftlingen aus dem Turme
bei der Mostarer Brücke entsprungen und nach Montenegro
entflohen. Der Saptie-Major Hussein Aga wurde zwar suspen-
diert, nach sechs Monaten aber wieder in sein Amt eingesetzt,
ohne hiebei auch nur das geringste eingebüsst zu haben. Es war
für jeden Sehenden klar, dass die Pforte, welche sich aus einem
so lokalen Anlasse mit Ignatieff nicht herumbalgen wollte, den
vertraulichen Wink gegeben hatte, die Tür des Gefängnisses
offen zu lassen, damit der unbequeme Gast je eher, je lieber
verschwinde.

Im Frühsommer 1872 reiste ich nach der Schweiz mit dem
Auftrage, für den Muschir Derwisch Pascha einen Stier

und vier Kühe anzukaufen, welche dieser dem Sultan zum Geschenke anbieten wollte, um den Posten eines Kriegsministers
zu erhalten. Es war nämlich seit Ali Paschas Tod eine Zeit
gekommen, da jeder Ehrgeizige, jeder Intrigant durch alle erdenklichen Mittel sich Zutritt zum Throne zu verschaffen suchte,
um an das Ziel seiner Wünsche zu gelangen. Die Tiere wurden
angekauft, und Ende Juni langte ich nach unzähligen Widerwärtigkeiten und grossem materiellen Schaden in Stambul an
Das schöne Geschenk wurde an den Sultan abgegeben, aber
Derwisch Pascha wurde trotzdem nicht Seraskier.

Die erste Kunde, die ich in Stambul vernahm, war die
Ersetzung des bosnischen Walis Mehmed Assim Pascha
durch den kürzlich zum Muschir beförderten Mustafa Assim
Pascha, denselben, mit dem ich im Jahre 1871 eine Reise von
Sarajevo nach Wien gemacht hatte. Er hatte meine Ankunft
erfahren und mich sofort zu sich beschieden. Der junge Muschir
empfing mich auf das freundlichste und meinte, er werde noch
im Laufe des Tages meine Wiederernennung zum Dragoman
vorschlagen, worauf wir in wenigen Tagen zusammen die Reise
nach Bosnien antreten könnten. Allein nach vier Tagen erzählte
mir mein alter Gönner Osman Pascha, dass Mustafa Assim
Pascha zum Tophane-Muschir (Grossmeister der Artillerie)
ernannt und der Gouverneur von Jeni-(Novi-)Pasar, Raschid
Pascha, zum Wali von Bosnien in Aussicht genommen sei.
Diese Nachricht raubte mir nicht nur alle Freude, sondern
durchkreuzte auch meine Pläne und zwang mich zu einem längeren Aufenthalte am Goldenen Horn, der mir allerdings durch
die Gastlichkeit meiner zahlreichen Freunde sehr angenehm gemacht wurde. Ich ging damals mit dem Gedanken um, das
nüchtern gewordene Sarajevo zu verlassen und mir eine
andere Stellung zu suchen. Mein Schicksal jedoch entschied
anders.

Stambul bot damals das traurige Bild eines Narrenhauses.
Wie der Herr, so der Knecht. Mahmud Pascha wetteiferte
mit Abdul Asis darin, allerlei tolle Gedanken auszuhecken,
als gelte es das Staatsgebäude aus seinen Angeln zu heben.
Die Minister, die Wali, alle höheren Funktionäre flogen wie

elastische Bälle in dem weiten Reiche herum; keiner durfte
darauf rechnen, auch nur einen Monat auf seinem neuen Posten
zu verbleiben, ja manchem war es nicht einmal vergönnt, diesen
zu erreichen. In S t a m b u l war die Stimmung sehr gedrückt, Po-
lizeiwillkür und Spitzelwesen standen in Blüte und die Einführung des namentlich bei dem niederen Volke stark verhassten
Tabakmonopols hatte in den breitesten Schichten eine grosse
Unzufriedenheit hervorgerufen. Mit Ungeduld und gespannter
Hoffnung sah man der Ankunft des aus B a g d a d abberufenen
M i d h a t P a s c h a entgegen, dem man zutraute, dass er den
Kampf mit M a h m u d P a s c h a aufnehmen werde. Wie grenzenlos die Verwirrung war, zeigen die rasch aufeinander folgenden Ernennungen M u s t a f a A s s i m P a s c h a s. Im Monate Mai aus S k u t a r i nach S t a m b u l als Polizeiminister
berufen, Mitte Juni zum Wali von Bosnien ernannt, nach
acht Tagen zum Grossmeister der Artillerie befördert, sollte er
am 20. Juli nach D r a m a, einem ganz unbedeutenden Kreise in
Makedonien, als Gouverneur abgehen. Der junge feurige Patriot
erklärte mir im Vertrauen: »Ich werde, was immer auch ge-
schehen mag, nicht nach D r a m a gehen. M i d h a t P a s c h a ist
gestern angekommen, jetzt müssen wir handeln.«

Die zuversichtliche Hoffnung auf den baldigen Sturz M a h-
m u d s zog immer weitere Kreise. Man erzählte sich, dass M i d h a t
P a s c h a bereits die Zusage einer Audienz beim Sultan erhalten
und diesem mit Hilfe des Harems eine förmliche Anklageschrift
gegen den Grosswesier zugeschoben hätte; man war auf den
Ausgang dieses Angriffes höchst gespannt, sogar in P e r a und
G a l a t a drehte sich das allgemeine Gespräch um den Zwei-
kampf M a h m u d—M i d h a t. Letzterer blieb nach wenigen Tagen
Sieger und hielt im Triumph unter ungeheurem Andrang des
Volkes seinen Einzug in die Hohe Pforte.

Mein Freund M u s t a f a A s s i m P a s c h a wurde wieder
Polizeiminister. Mittlerweile war auch M e h m e d A s s i m P a-
s c h a aus S a r a j e v o angekommen, und da ich ausserdem
auch meinen alten Freund O m e r F e w s i P a s c h a oft besuchte,
so vergingen zwei Monate im Verkehre mit diesen trefflichen,
aus Herzensgrunde mir zugetanen Männern überaus angenehm.

Allein trotz alledem konnte ich mich nicht entschliessen, Bosnien für immer zu verlassen und in S t a m b u l ein neues Heim zu gründen.

Eines Tages wurde ich zum M u s t a f a A s s i m P a s c h a gerufen. In heiterster Stimmung kam er mir entgegen und rief mir schon von weitem zu: »Doktor, wir gehen nach S a r a j e v o; seit einer Stunde bin ich Wali von Bosnien und ich bin herzlich froh, von hier fortzukommen.« Meine Ernennung zum Dragoman und Direktor der politischen Angelegenheiten erfolgte sehr rasch, und wir rüsteten. zur Abreise.

Während ich mich zur Abreise mit M u s t a f a A s s i m P a - s c h a vorbereitete, kehrte ich eines Morgens von einem Abschiedsbesuche in M a k r i k ö i zurück. Da stiess ich in S t a m - b u l auf eine grosse Alaï (Truppenparade). Der Anlass zu der Ausrückung war die Amtseinsetzung des neuen Grosswesiers M u - t e r d s c h i M e h m e d P a s c h a! In der Nacht war M i d h a t nach kaum zweimonatlicher Amtstätigkeit gefallen! In banger Angst, dieser Wechsel könnte die Ernennung M u s t a f a A s s i m P a - s c h a s rückgängig machen, wartete ich bis spät in die Nacht hinein auf den heimkehrenden Pascha, der mich aber damit beruhigte, dass der neue Grosswesier vielmehr seine schleunige Abreise nach Bosnien wünsche, da die dortigen Zustände die Anwesenheit des Walis dringend erheischten. In der Nacht noch kündigte M u s t a f a A s s i m P a s c h a dem F ü r s t e n N i k o l a u s seine Ernennung und seine baldige Abreise an. F ü r s t N i k o l a u s, der vor einem Jahre M u s t a f a A s s i m P a s c h a in C e t i n j e gastlich bewirtet hatte, gratulierte zu seiner Ernennung und lud ihn ein, den Weg über Montenegro zu nehmen, was jedoch der P a s c h a ablehnte.

Bevor ich S t a m b u l verliess, sollte ich eine der vielen tollen Liebhabereien kennen lernen, welche dem Sultan damals nacherzählt wurden. Als ich eines Freitags im Garten meines Freundes K o n s t a n t i n E f e n d i in O r t a k ö i zu Besuche weilte, sahen wir vom Jildis-Palast einen Bostandschi herunterkommen, der einen grossen, schönen Hahn am Arm trug. Die Frau meines Gastfreundes, welche den Palastbedienten kannte, hielt ihn an, plauderte mit ihm in armenischer Sprache und brach

endlich in ein krampfhaftes Lachen aus. Auf unter Drängen erzählte sie, was sie soeben erfahren hatte. A b d u l A s i s hatte
unter anderem eine leidenschaftliche Vorliebe für Hahnenkäm-
pfe. Einer seiner Lieblingshähne nun war an jenem Tage im
Kampfe unterlegen und wurde dafür von dem erzürnten Grossherrn auf einen Monat nach der kaiserlichen Villa in B e s c h i k -
t a s c h verbannt. Nach dieser Erfahrung war ich nicht abgeneigt,
dem allgemein verbreiteten Gerüchte Glauben zu schenken, dass
der Padischah, ein zweiter Caligula, den Sieger im Hahnenkampfe
auch mit öffentlichen Auszeichnungen bedachte.

Nach viermonatlichem unvergesslichen Aufenthalte in S t a m -
b u l trat ich im Gefolge des neuen Generalgouverneurs die
Heimreise an. In O r s o v a hatten wir einen recht unliebsamen
Auftritt, der mir als ein schlimmes Vorzeichen für die zukünfti-
gen Beziehungen des Walis zu den österreichisch-ungarischen
Behörden erschien. Bei der Zollrevision bestand nämlich der am-
tierende Beamte darauf, dass nicht nur die Gepäckstücke des
Gefolges, sondern auch diejenigen des Generalgouverneurs, ja
auch diejenigen von dessen Frau geöffnet und genau untersucht
werden, und obwohl auch ein zufällig anwesender Attaché der
Deutschen Botschaft in K o n s t a n t i n o p e l den Beamten ersuchte,
von der Untersuchung abzustehen, so half doch alles nichts. Die
Koffer wurden durchwühlt und sogar der von dem Tutundschi[1])
des Paschas ganz offen getragene bescheidene Vorrat an Ziga-
retten und Tabak beanständet. Die Gefällsstrafe wurde erlegt,
der Pascha aber verweigerte die Zurücknahme seines Tabaks
und wollte in seiner Aufregung auch die ihm zu Ehren auf dem
Schiffe gehisste türkische Standarte einziehen lassen. Nur mit
Mühe bestimmte ich ihn, von diesem Vorhaben abzustehen. In
S a r a j e v o angekommen, erstattete ich dem Generalkonsul T e o -
d o r o v i ć einen wahrheitsgetreuen Bericht über das Vorgefallene,
und schon nach zwei Wochen erhielt der Wali die Genugtuung,
dass die schuldigen Zollorgane in O r s o v a in Disziplinarunter-
suchung gezogen wurden.

---

1) Pfeifenträger. Über dieses Hofamt des Gouverneurs vgl. Erinnerungen aus dem Leben des Serdar Ekrem Omer Pascha 72 f.

IV. Mustafa Assim Pascha (1872—1873) und Mehmed Akif Pascha (1873—1874).

Mustafa Assim Pascha, der Sohn eines Gutsbesitzers in Kandia, war in der Militärschule zu Stambul erzogen worden. Im Generalstabe war er rasch emporgekommen, hatte sich in Paris, wo er als Oberst das Amts eines Militärattachés bekleidete, ein gutes Mass europäischer Bildung angeeignet, war dann jahrelang als Adlatus des Polizeiministers hervorragend tätig, kehrte als Brigadegeneral in Mostar und Sarajevo in die Armee zurück und erwarb sich als Gouverneur von Skutari grosse Verdienste um die Schlichtung schwerer Konflikte mit Montenegro. Zuletzt bekleidete er, wie wir früher sahen, das Amt eines Polizeiministers in Stambul. Kaum 40 Jahre alt, ehrlich, von gefälligen Umgangsformen, geläufig Französisch und Griechisch sprechend, wurde er vom Konsularkorps in Sarajevo mit Begeisterung begrüsst. Er war von den besten Absichten beseelt; vor allem wollte er auf dem konfessionellen Gebiete wieder die Ruhe herstellen, dann aber auch industrielle Unternehmungen, so namentlich eine Tuchfabrik auf Aktien, und eine militärische Erziehungsanstalt ins Leben rufen. Die industriellen Unternehmungen blieben zwar unausgeführt, das Militär-Knabenpensionat aber kam rasch zustande und behauptete sich bis zur Okkupation in voller Blüte.

Bei den üblichen Antrittsbesuchen, welche er den moslimischen Notabeln abstattete, trat er namentlich für den religiösen Frieden ein. In dem gleichen Sinne sprach er sich auch dem hiesigen orientalisch-orthodoxen Metropoliten gegenüber aus. Bei dem letzteren hatte sich eine Abordnung der angesehensten serbischen Kaufleute eingefunden, um die Intervention des neuen Walis beim Wakuf zu erbitten, damit dieser durch Verkauf oder durch Tausch der Kirchengemeinde ein Grundstück zur Vergrösserung des Hofes bei der neuen Kirche überlasse. Der Pascha versprach ihnen, auf den Wakuf in dieser Hinsicht Einfluss zu nehmen, und er hielt Wort. Wenn die Sache trotzdem nicht zustande kam, so lag die Schuld nur an den Serben selbst, welche ihre eigene religiöse Unduldsamkeit ihren katholischen Mitbürgern gegenüber bald darauf in auffallenderweise verrieten.

Durch Vermittlung des katholischen Stadtpfarrers Fra Grga Martić kaufte der österreichisch-ungarische Generalkonsul Teodorović von den Kaufleuten Josipović und Max Despić einen grossen, schönen, am rechten Ufer der Miljacka dort, wo sich jetzt das Präparandie-Konvikt und das K. und k. Militärkasino befinden, gelegenen Garten um den stattlichen Preis von 2500 Dukaten, damit hier eine Schule, eventuell auch eine römisch-katholische Kirche und die bischöfliche Residenz erbaut würden. Die Kunde von diesem Kaufe verbreitete sich wie ein Lauffeuer, und die serbischen Kaufleute schrieen und bestürmten den Metropoliten, die Orthodoxie vor der Gefahr zu erretten, welche ihr von der zu erbauenden katholischen Kirche drohe. Ich aber hatte die Überzeugung, dass ihr Eifer nichts zu tun habe mit ihrer religiösen Überzeugung, sondern einfach darauf zurückzuführen sei, dass sie den Verkäufern das glänzende Geschäft, welches jeder von ihnen am liebsten selbst gemacht hätte, nicht gönnten. Die Angelegenheit kam vor den Wali, welcher zu deren Schlichtung einen eigenen Gerichtshof einsetzte, dem auch der Metropolit beigezogen wurde. Da nach den Landesgesetzen die Nachbarn des verkauften Grundstückes ein Vorkaufsrecht geltend machen konnten, so wurden diese, ausnahmslos Serben, vorgerufen und befragt, ob sie das Grundstück nicht etwa selbst erwerben wollten. Alle lehnten ab, bekundeten aber gegenüber ihren katholischen Mitbürgern eine solche Unduldsamkeit, ja Feindseligkeit, dass der Wali nunmehr auch seinerseits sich den Serben gegenüber sehr zurückhaltend verhielt und gar nicht mehr daran dachte, seine Zusage betreffs der Erweiterung des serbischen Kirchenhofes einzulösen.

Mustafa Assim Pascha hatte sich gleich nach seiner Ankunft in Sarajevo mit dem Fürsten Nikolaus ins Einvernehmen gesetzt, um einen Grenzstreit zu schlichten, welchen der mittlerweile abberufene Militärkommandant Ahmed Hamdi Pascha dadurch verschuldet hatte, dass er von Kolašin ein Bataillon nach Lipovo (in Ostmontenegro) vormarschieren liess. Die Angelegenheit wurde in sehr gemässigtem Tone erörtert, die Mängel des Grenzregulierungsprotokolles einer eingehenden Kritik unterzogen und Vorschläge für die Zukunft gemacht, allein bis spät in den Winter hinein blieben die drei Schreiben des Walis unbeantwortet. Um endlich Gewissheit über die Intentionen des Fürsten zu erhalten, sandte mich der Wali nach Cetinje. Wohlgemut trat ich in Begleitung des früheren Kaimekams von Bilek, Sulejman Beg, die Reise über Ragusa an. Unterwegs, als wir eben in Njeguš ein frugales Frühstück verzehrten, erlebte ich einen heiteren Auftritt. Ein Montenegriner war, von mir unbemerkt, eingetreten und hatte sich hinter mir auf der Bank niedergelassen. Ich sah wohl, dass mein Reisegefährte mir in grosser Aufregung zuwinkte, begriff aber die Situation erst dann, als der Montenegriner nach den üblichen Begrüssungsformeln sich bei Sulejman Beg für die ihm in Bilek erwiesene Gastfreundschaft in wohlgesetzten Worten bedankte. Es war niemand anderer als der Bandenführer Stojan Kovačević, welcher zehn Monate vorher, wie oben S. 58 erzählt wurde, von Bilek aus verhaftet und nach Mostar abgeführt worden war. Ich liess Wein kommen und lud Stojan Kovačević an unseren Tisch, worauf er sich angelegentlich nach unserem Reiseziele erkundigte, im übrigen aber uns beiden gegenüber von vollendeter Liebenswürdigkeit war. Nachdem er sich von uns auf das herzlichste verabschiedet hatte, mahnte ich zum Aufbruch, stiess aber auf den entschiedensten Widerspruch meines

Koetschet-Grassl, Osman Pascha.

Gefährten, der sich weigerte, weiter zu reisen. Er fürchtete
nämlich, von dem so unvermutet aufgetauchten Kondottiere
hinterrücks vom Pferde geschossen zu werden, und ich hatte
viele Mühe, ihm begreiflich zu machen, dass sich S t o j a n K o -
v a č e v i ć wohl hüten werde, den Zorn des Fürsten durch eine
so ruchlose Tat auf sich zu laden. Schweren Herzens bestieg
S u l e j m a n B e g endlich sein Pferd, hielt aber auf dem ganzen
Wege seine Pistole ängstlich umklammert, während seine Augen
hinter jeden Fels und Busch spähten.

Nicht ohne innere Erregung betrat ich C e t i n j e, das ich
durch elf Jahre nicht gesehen hatte, und die Ereignisse von
1861 — 1862 traten vor meine Seele. Im Äussern der kleinen,
steinigen Stadt hatten sich unterdessen namhafte Veränderungen
vollzogen. Der Fürst wohnte in seinem neuen, einem grossen
Schweizer Bauernhause ähnlichen Palaste, und ein geräumiges,
von russischen Damen geleitetes Mädcheninstitut, eine neue
Knabenschule, ein Spital, ein Hotel und einige bessere Privat-
häuser verliehen der fürstlichen Residenz ein verändertes Aus-
sehen.

Der Fürst empfing mich auf das herzlichste und liess durch-
blicken, dass er in mir noch immer nicht nur den ottomanischen
Agenten, sondern auch den Freund erblicke, der ihm in man-
cherlei schweren Händeln ehrlich beigestanden. Auch die schöne
F ü r s t i n M i l e n a zeigte sich äusserst huldvoll gegen mich, und
ich hatte nicht geringe Mühe, in der stattlichen, mit vollendeten
französischen Manieren auftretenden Dame die junge, schüchterne,
kaum reife Frau von 1862 wiederzuerkennen.[1]) Sie beherrschte
die französische Sprache vollkommen, und mich freute zu erfahren, dass sie dies einer Landsmännin, Fräulein N e u k o m m
aus S c h a f f h a u s e n, verdanke, welche noch heute als Ehrendame
am Hofe der Fürstin weilt. Der Fürst war sehr mitteilsam, be-
teuerte seine Friedensliebe und entwickelte in schwungvollen
Reden sein Programm zur Hebung des kulturellen Wohles seines
Volkes. Er habe nur den Wunsch, vom Sultan und der Hohen
Pforte als der rechtmässige Beherrscher der Schwarzen Berge
anerkannt zu werden und seine Untertanen nicht immer als Räuber

---

1) Vgl. Erinnerungen aus dem Leben des Serdar Ekrem Omer Pascha 180.

und Feinde der Türkei dargestellt zu sehen. Auch könne ihm der Sultan seine schwere Lage durch Abtretung einiger für die Türkei ganz wertloser Territorien wesentlich erleichtern, denn die Montenegriner brauchten unbedingt mehr Luft und Bewegungsfreiheit, da sie sonst in ihrer Enge ersticken müssten. »Möchte doch der Sultan,« so rief er aus, »gegen mich ebenso grossmütig sein wie gegen den Fürsten von Serbien! Ich würde sein bester Freund werden und mich glücklich schätzen, ihm in Stambul meine Aufwartung zu machen.« Auf den eingentlichen Zweck meiner Reise übergehend, gab der Fürst seiner Verwunderung Ausdruck, dass seine drei Antwortschreiben dem Wali nicht zugekommen seien, und liess mir durch seinen Sekretär Dr. Frilley die Konzepte davon vorlegen. Mir stieg sogleich der Verdacht auf, dass diese Schreiben auf dem Postbureau in Slawonisch-Brod liegen geblieben seien, weil unserem Postvermittler für deren Beförderung durch den österreichischen Kurier vom Wali kein besonderes Honorar versprochen worden sei, und meine sofort eingezogene telegraphische Erkundigung bestätigte die Richtigkeit dieser Annahme. Fürst Nikolaus sprach sich über Mustafa Assim Pascha, welcher sich im vorigen Jahre bei Schlichtung einiger Zwischenfälle an der albanischen Grenze sehr gerecht und zuvorkommend gezeigt hätte, äusserst anerkennend aus. Um so mehr täte es ihm leid, dass sich der Wali in der Lipovo-Frage auf einen Standpunkt gestellt habe, welcher eine Verständigung im vorhinein ausschliesse. Man möge den Wortlaut des Protokolls von 1858 auslegen, wie man wolle, die Rechte Montenegros seien unanfechtbar. Er sei bereit, die Streitfrage der Entscheidung der beteiligten Grossmächte zu unterbreiten, möchte aber der Pforte solche Unbequemlichkeiten lieber ersparen, zumal da der Wert des strittigen Gebietsteiles für die Türkei ein höchst untergeordneter sei. Überhaupt möchte er im interesse der Erhaltung eines guten Einvernehmens wünschen, dass der Wali den Berichten seiner Beamten an der Grenze nicht allzuviel Glauben schenke, da die meisten dieser Funktionäre den Montenegrinern feindlich gesinnte Albanier und Bosnier wären. In diesem letzteren Punkte musste ich dem Fürsten recht geben; auch versprach ich ihm, den Rückweg

über K o l a š i n zu nehmen, um die L i p o v o-Frage an Ort und
Stelle zu studieren.

Am Abende vor unserer Abreise sassen wir bis spät in die-
Nacht hinein im Kabinett des Fürsten, der sich angelegentlich
nach meinen Privatangelegenheiten, meiner Stellung und meinen
Aussichten für die Zukunft erkundigte. Er bedauerte, dass ich
das mir in N i k š i ć (o. S. 21) gemachte Anerbieten, in seine
Dienste zu treten, nicht angenommen habe, und wiederholte einen
ähnlichen Antrag, da Dr. F r i l l e y sich nach Frankreich zurück-
sehne. »Eine Schweizerin, Fräulein N e u k o m m, Erzieherin meiner Töchter und ein redlicher Schweizer mein Leibarzt und
Sekretär, das wäre mir in hohem Grade willkommen«, so schloss
der Fürst seine aufmunternde Rede. Ich musste jedoch auch,
diesmal mit dem Hinweise auf den mir eng befreundeten M u-
s t a f a A s s i m P a s c h a ablehnen. Tags darauf, nach einem
Familien-Dejeuner, verabschiedete ich mich von der Fürstin und
dem Fürsten, der mich nach südslawischer Sitte umarmte und
meine weite, beschwerliche Reise segnete. Wir übernachteten in
R i j e k a, das sich aus den Trümmern des Jahres 1862[1]) neu
erhoben hatte, und erreichten von hier aus in dreitägigem, ro-
mantischem Ritte über P o d g o r i c a und längs des L i m s S j e-
n i c a, den Hauptort des Sandschaks N o v i - P a z a r, nachdem ich
von K o l a š i n aus das etwa anderthalb Stunden entfernte L i p o v o
besucht und mich dort persönlich überzeugt hatte, dass das Streit-
objekt nicht einen Schuss Pulver wert sei. Von S j e n i c a legten
wir den Rest der Reise in zwei Tagen mit Postpferden zurück
und am Charsamstag abends traf ich bei meiner Familie in S a-
r a j e v o ein.

Im Herbste 1872, bald nach der Ankunft M u s t a f a A s s i m
P a s c h a s in Bosnien, hatte die serbische Kirchengemeinde von
S a r a j e v o zwei Delegierte, M a x D e s p i ć und den Archimandriten
S a v a K o s a n o v i ć, nach Russland entsendet, um Spenden zur
Vollendung der neuen Kirche zu sammeln. Sie wurden in P e-
t e r s b u r g sympathisch aufgenommen und in verschiedene sla-
wische Vereine eingeführt. M a x D e s p i ć scheint vor den mög-
lichen politischen Folgen seiner Mission Angst bekommen

---

[1]) Vgl. Erinnerungen 215 ff.

zu haben, denn er trennte sich von seinem Gefährten und kehrte bald nach S a r a j e v o zurück; Archimandrit K o s a n o v i ć hingegen blieb einige Monate in Russland und erreichte tatsächlich, dass die Ikonostasis und die Kanzel der neuen Kirche durch russische Arbeiter fertiggestellt wurden. Den ottomanischen Behörden fiel nicht entfernt ein, den Archimandriten wegen seiner russischen Pilgerfahrt irgendwie zu belästigen. Einige Zeit darauf meldete sich der bankerottierte Pelzwarenhändler G j o r g j o S e r a n o v i ć beim Wali, um diesem eine in russischer Sprache verfasste Broschüre zu überreichen, deren Titelblatt eine eigenhändige Widmung des Archimandriten K o s a n o v i ć an einen Belgrader Freund trug. Wahrscheinlich hatte der Archimandrit die Broschüre dem damals in Russland weilenden S e r a n o v i ć mit dem Ersuchen anvertraut, sie an die Adresse in B e l g r a d zu übermitteln; S e r a n o v i ć aber scheint sich aus irgendeinem Grunde an dem Archimandriten durch Auslieferung dieser Broschüre haben rächen zu wollen. Der Wali beauftragte mich, die Flugschrift zu studieren und über deren Inhalt zu berichten. Die Publikation führte den Titel: »Verfolgung der Orthodoxie in Bosnien« und nannte einen gewissen P o p o w als Verfasser. Wenn nun auch K o s a n o v i ć selbst die Broschüre nicht geschrieben hatte, so rührte doch jedenfalls das ganze Material von ihm her. Es wurde darin ausgeführt, dass nicht nur die von den ottomanischen Behörden angeblich begünstigte protestantische Propaganda durch das unter dem Schutze des deutschen und englischen Konsulates stehende Institut der M i s s I r b y, sondern noch weit mehr die vom Banus von Kroatien gegen die Serben in Bosnien geschürte Agitation die Grundlagen des alten orthodoxen Glaubens erschüttere, weshalb eine kräftige Abwehr dieser exotischen Bestrebungen Pflicht jedes orthodoxen Serben sei. Von Schmähungen gegen die ottomanische Regierung und deren Organe wimmelte es in der Flugschrift, so dass es ein leichtes gewesen wäre, daraus eine Anklage gegen K o s a n o v i ć zu schmieden. Ich konnte lange nicht schlüssig werden, was ich mit dem Hefte beginnen sollte. Schliesslich sagte ich mir, dass die Verurteilung eines orientalisch-orthodoxen Geistlichen unsere politische Lage leicht verschlimmern könnte, indem

sie der serbischen Agitation in Belgrad und Neusatz neue
Nahrung zuführen würde, und so beschloss ich denn, die Sache
auf die lange Bank zu schieben, zumal da ich von einem solchen
literarischen Angriffe in einer unserem Volke unverständlichen
Sprache keinen Schaden befürchtete und mich einer gewissen
persönlichen Sympathie für den Archimandriten nicht erwehren
konnte.

Ich beantwortete also die Fragen des Walis ausweichend,
indem ich andeutete, dass es sich lediglich um religiöse Streitfragen handle, liess aber meinen Schützling warnen, sich in
Hinkunft mit politischen Flugschriften zu beschäftigen, da diese
vielleicht nicht immer in Freundeshand fallen würden. Bis zu
den schicksalsschweren Julitagen 1878 verhielt sich Archimandrit Kosanović ruhig und vorsichtig; am 28. Juli, dem
Tage des Sturzes der ottomanischen Behörden, aber sah ich
ihn mit einer Fahne in der Hand, Pistolen und Handschar im
Gürtel, an der Spitze der serbischen Jugend demonstrierend
durch die Gassen ziehen.[1]) Auch in den folgenden Wochen war
Kosanović rührig, wenn er auch hinter dem serbischen Lehrer
Stevo Petranović zurückblieb, der im Hofe der Gasi Hussrew Beg-Moschee feurige Reden gegen Österreich hielt.[2]) Beim
Einzuge der österreichisch-ungarischen Truppen hisste der Archimandrit eine neue weisse Fahne und schickte sich an, aus der
neuen Konstellation einen möglichst grossen Nutzen für sich
herauszuschlagen. Ich bekenne, dass ich ihn mit ganzer Kraft
unterstützte und auch bei der neuen Obrigkeit sein eifriger
Anwalt wurde, so dass ihm der Weg zu seiner Erhebung auf
den Metropolitanstuhl von Sarajevo bald geebnet war. Der
neue Erzbischof war sichtlich bemüht, sich mein Vertrauen zu
erhalten, solange er jene kompromittierende russische Broschüre
in meinen Händen wusste. Als ich jedoch im Sommer 1880 bei
einer Zusammenkunft in Ilidže die Unvorsichtigkeit beging,
sie ihm zurückzustellen, sollte ich bald wahrnehmen, dass Metropolit Kosanović mich nicht mehr mit der früheren Freund-
lichket behandelte, sondern mich zu ignorieren begann. Der

---

1) Vgl. Aus Bosniens letzter Türkenzeit 90.
2) Vgl. Fra Orga Martić, Zapamćenja 90. 110.

ehrgeizige, eitle, lebensfrohe, nichts weniger als fromme Metropolit liess sich in seiner Verblendung verleiten, der Landesregierung den Fehdehandschuh hinzuwerfen, und als er durch diesen ungleichen Kampf seinen Sturz herbeigeführt hatte, da erst erinnerte er sich wieder meiner und reichte mir gerührt die Hand, um als Freund zu scheiden. Wie oft mag der stille Einsiedler in Dulcigno sein unkluges Verhalten bitter bereut haben. Möglich auch, dass ihm das trügerische Traumbild vorschwebte, gleich dem Metropoliten Michael von Belgrad unter feierlichem Glockengeläute in seine Heimat zurückzukehren.

In das Jahr 1872 fällt der Besuch des österreichisch-ungarischen Generalkonsuls Benjamin von Kállay, welcher in Begleitung des Generalskonsuls Teodorović und des Dr. Galanthay von Sarajevo aus eine Rundreise durch die Kreise Travnik und Bihać antrat. Die hierüber abverlangten Berichte der Mutessarife[1]) und der einzelnen Bezirksbehörden lauteten durchaus harmlos und liessen nur entnehmen, dass die Reisenden überall bei den Notabeln, besonders bei den moslimischen Beg, vorsprachen und hier gelegentlich zu verstehen gaben, dass Se. Majestät der Kaiser-König an dem Gedeihen seiner bosnischen Nachbarn ein lebhaftes Interesse nehme.

Mein Bericht über die Unterredung mit dem Fürsten Nikolaus sowie über alle sonstigen in Montenegro gemachten Wahrnehmungen hatte nicht den gewünschten Erfolg gehabt; die Lipovo-Frage blieb in der Schwebe und längs der Grenze kamen neuerdings blutige Ausschreitungen vor, deren Urheberschaft nie festgestellt werden konnte, obgleich von beiden Seiten lange und erbitterte Noten hierüber geschrieben wurden. Auch zu dem Fürstentum Serbien standen wir auf gespanntem Fusse, da der mit jeder Jahreszeit wechselnde Lauf der Drina unausgesetzte Reibungen zwischen den Uferbewohnern zur Folge hatte. Zur Schlichtung der Streitfragen wurde abermals eine gemischte Kommission berufen, obwohl man sich nach den früher gemachten Erfahrungen[2]) hätte sagen können, dass ein Erfolg auf diesem Wege nicht zu erwarten sei. Von ottomanischer Seite wurden der Brigadegeneral Abdullah Pascha, Fehim Efendi

---

1) Kreisvorsteher.
2) Vgl. o. S. 16. f.

aus Banjaluka, ein Hauptmann des Generalstabes und meine Wenigkeit, von serbischer Seite Staatsrat Magazinović, der Kreishauptmann von Loznica und mein Landsmann Charles Betant, Sekretär im Ministerium des Äussern, entsendet. Die erste Sitzung, die in einem kleinen Orte zwei Stunden unterhalb vom Zvornik stattfand, wurde durch den Austausch von Förmlichkeiten in Anspruch genommen, und als in der zweiten Sitzung auf die schwebenden Angelegenheiten selbst eingegangen werden sollte, da gerieten die Unterhandlungen sofort ins Stocken. Es zeigte sich nämlich, dass die Instruktionen sich durchaus nicht decken, indem die serbischen Mitglieder der Kommission eine Besprechung nur über vier Streitobjekte zulassen wollten, während wir beauftragt waren, den ganzen Lauf der Drina von Zvornik bis Raća zu studieren. Ebensowenig vermochten wir uns über die prinzipielle Behandlung der Grenzregulierungsfrage zu einigen, denn die Serben verlangten, dass der frühere Lauf des kapriziösen Flusses ermittelt und als Landesgrenze anerkannt werde, während wir uns bemühten, den gegenwärtigen Flusslauf als Grenze festzuhalten und die vorgekommenen Änderungen im beiderseitigen Territorium durch Austausch oder Ablösung zu ratifizieren So blieb denn nichts anderes übrig, als dass sich beide Kommissionen um neue Instruktionen an ihre Regierungen wandten. Unterdes begaben sich die serbischen Delegierten nach Loznica, während wir in Šepak, jenem Städtchen gegenüber, unsere Zelte aufschlugen. Zusammengekommen ist die Kommission nicht mehr. Unsere Delegierten verliefen sich auf Urlaub, und nach sechswöchiger Untätigkeit kehrte auch ich über Bjelina nach Sarajevo zurück.

Inzwischen waren im Kreise Banjaluka ernste Unruhen ausgebrochen, deren Urheberschaft von den türkischen Beamten dem österreichisch-ungarischen Konsularagenten in Banjaluka, Hauptmann Drrgančić, zugeschrieben wurde. Die an das österreichisch-ungarische Generalkonsulat in Sarajevo eingelaufenen Berichte schilderten das von Woche zu Woche immer mehr herausfordernde Auftreten der moslimischen Feudalherren gegen die Christen, die Schwäche und Parteilichkeit der Lokalbehörden sowie überhaupt die ganze bedrohliche Lage in Banjaluka und Bosnisch-Gradiška, während die türkischen Lokalbehörden den Hauptmann Dragančić eines geheimen Einverständnisses mit den unzufriedenen serbischen Kaufleuten Pištelić, Radulović und Genossen beschuldigten. In Wahrheit war der grösste Unruhestifter der seit einigen Jahren in Banjaluka ansässige Omer Fesli, ein Marokkaner, der, Gott weiss wie, den Weg nach Bosnien gefunden hatte. Er stellte sich in den Dienst der mächtigen Partei der Džinić und Fehim Efendi, welche schon dem alten Osman Pascha viel Verdruss bereitet hatte. Ich riet dem Wali sehr entschieden, das lodernde Feuer zu unterdrücken, beide Parteien zur Ruhe zu zwingen, den österreichisch-ungarischen Konsularagenten ausser Spiel zu lassen, und nach einer längeren Besprechung, die ich in dieser Angelegenheit mit Generalkonsul Teodorović hatte, drang ich nochmals in Mustafa Assim Pascha, jede feindselige Anspielung auf Dragančić und jeden Argwohn gegen Österreich-Ungarn zu vermeiden. Leider sollte es ganz anders kommen. Der Wali ging selbst nach Banjaluka, überwarf sich dort sehr bald mit Dragančić und weigerte sich, ihn weiter zu empfangen. Dazu kam die Verhaftung einiger christlichen Notabeln aus Banjaluka, die Flucht serbischer Kaufleute nach Österreich sowie deren Bittgesuch an Kaiser Franz Joseph, welches als die erste Etappe zu den traurigen Ereignissen von 1875 und der dadurch notwendig gewordenen Okkupation bezeichnet werden kann. Bedauerlicherweise liess sich die Pforte verleiten, in der diplomatischen Welt in Pera eine anonyme französische Broschüre über die Vorgänge in Banjaluka und Gradiška zu verbreiten, in welcher Dragančić als der Urheber und Leiter der dortigen Wirren hingestellt wurde. Die Folgen blieben nicht aus. Graf Andrássy verlangte nicht nur, dass den Flüchtlingen die unbehelligte Rückkehr nach Gradiška gewährleistet werde, sondern auch die Absetzung des Mutessarifs von Banjaluka, ja auch des Walis. Mustafa Assim Pascha wurde tatsächlich abberufen und durch Mehmed Akif Pascha ersetzt.

Seit seiner Abberufung aus Bosnien führte Musfafa Assim Pascha ein äusserst bewegtes Leben, da ihn seine dienstlichen

Stellungen fast in alle Provinzen des weiten Reiches brachten, bis er in D a m a s k u s als Wali starb. Obgleich wir uns nicht wiedersahen, so glaube ich dennoch zu wissen, dass er mir eine freundliche Erinnerung bewahrte, wie auch ich seiner nur in wehmütiger Stimmung gedenke. Zur Ehre seines Andenkens möchte ich hier einen kurzen Vorfall erzählen, der seinen lauteren Charakter in hellstem Lichte erglänzen lässt. Als nach den Unruhen von B a n j a l u k a die geistigen Urheber derselben in S a r a j e v o hinter Schloss und Riegel sassen, bot der hiesige Kaufmann S a l o m o n E f e n d i S a l o m dem Wali die stattliche Summe von 1500 Dukaten für die Freilassung der Verhafteten an. M u s t a f a A s s i m P a s c h a wies den Versucher so barsch zurück, dass dieser eiligst zur Tür hinausflüchtete. Nach einigen Tagen musste sich der mittlerweile abberufene Wali 1000 Dukaten von dem nachmaligen Vizebürgermeister von S a r a j e v o P e t r o T. P e t r a k i - P e t r o v i ć borgen, um mit seiner Familie die kostspielige Reise nach S t a m b u l antreten zu können.

Da es in der Türkei allgemein üblich war, dass ein abgesetzter Wali jedes Zusammentreffen mit seinem Nachfolger zu vermeiden suchte, so war ich nicht wenig überrascht, als mir M u s t a f a A s s i m P a s c h a ankündigte, dass er seinen Nachfolger A k i f P a s c h a, welcher schon unterwegs sei, in S a r a j e v o erwarten wolle. Wenige Tage darauf sassen beide Pascha in vertraulichem Gespräche, als ich zu ihnen beschieden und nach wenigen einleitendem Worten mit der Aufgabe betraut wurde, einen ausführlichen schriftlichen Bericht über die politische Lage Bosniens zu erstatten, den der scheidende Wali selbst der Hohen Pforte zu unterbreiten gesonnen sei.

Ich begann meinen Bericht mit einem Gleichnisse: Bosnien sei eine von allen Seiten von Feinden belagerte Stadt, die in um so grösserer Gefahr schwebe, als mehr als die Hälfte der Belagerten gemeinsame Sache mit den Belagerern mache, während die tapfere, aber stolze Besatzung die feindlich gesinnten Stammesbrüder von sich stosse, beleidige und oft genug vergewaltige, anstatt sie durch Gerechtigkeit und Wohlwollen für das eigene Interesse zu gewinnen; unter solchen Umständen könne sich eine belagerte Stadt nicht lange halten, sie müsse über kurz oder lang fallen. Hierauf suchte ich auszuführen, wie sehr das Ansehen der ottomanischen Behörden im Lande in den letzten Jahren gesunken sei, wie der Religionshass und die agrarischen Gegensätze die Bevölkerung immer mehr in zwei unversöhnliche, feindliche Heerlager spalten, so dass es nicht zu verwundern sei, wenn die Herzegowzen nach Montenegro, die bosnischen Serben nach Serbien und die friedfertigen Katholiken über die Save schielen. Dazu komme die wachsende slawische Agitation, welche auch in dem benachbarten Österreich-Ungarn immer mehr Boden gewinne, und wenn auch nicht anzunehmen sei, dass die österreichisch-ungarische Regierung diese Agitation direkt fördere, so müsse doch damit gerechnet werden, dass man in Wien im Interesse der Sicherung der Südgrenze der Monarchie zu einem entscheidenden Schritte sich werde entschliessen müssen. Ich schloss meinen Bericht damit, dass nur eine weitgehende liberale Reform aller Verwaltungszweige eine dauernde Beruhigung der Bevölkerung herbeiführen und den Verlust dieser schönen Provinz an die Nachbarmonarchie abwenden könne.

Als ich den Bericht den beiden Pascha vorlas, schauten sich diese recht verlegen an. Mustafa Assim Pascha ersuchte mich, den Schlusssatz wegzulassen; allein ich weigerte mich entschieden, diesem Wunsche zu entsprechen, da ich gerade die Möglichkeit einer Besitznahme Bosniens durch österreichisch-ungarische Truppen als die unvermeidliche Folge der haltlosen inneren Zustände des Landes hinstellen wollte. Akif Pascha, dem übrigens schon als Arnauten wenig an Bosnien gelegen war, meinte jedoch gutmütig: »Wenn es wirklich Allahs Wille ist, so erscheint mir der Verlust dieser Provinz nicht als ein allzügrosses Unglück für das ottomanische Reich.« Genau so denken seit 1878 fast alle Würdenträger am Goldenen Horn.

Eine Abschrift meines Berichtes wurde dem hiesigen Archive einverleibt, das Original aber von Mustafa Assim Pascha dem Grosswesier überreicht, ohne dass es von diesem auch nur die geringste Beachtung gefunden hätte.

Die halbjährige Amtszeit Mehmed Akif Paschas verlief ohne besondere Ereignisse. Man frettete sich in der herkömmlichen Weise fort, und der Wali, der sich nach dem Schlaraffehleben am Bosporus zurücksehnte, war gar nicht der Mann, dem zunehmenden Verfalle des ottomanischen Prestiges in Bosnien Einhalt zu tun. Unterdessen nahmen die Ausschreitungen der hiesigen Moslim gegen ihre christlichen Mitbürger immer mehr zu; insbesondere war es das Glockengeläute, welches Anlass zu Klagen und Demonstrationen bot. Eines Morgens geriet der gutmütige Wali ganz ausser sich, als der Imam der Gasi Hussrew Beg-Moschee, der berüchtigte Fanatiker Hafis Abdullah Efendi Kaukdžić, welcher im August 1878 erschossen wurde, an der Spitze einer Deputation bei ihm vorsprach und, seine Ansprache mit einem Koranverse beginnend, Klage führte über das kaum hörbare Läuten einer winzigen Glocke im Hofe der alten orientalisch-orthodoxen Kirche. Mehmed Akif Pascha sprang von seinem Sitze auf und unterbrach den Sprecher, indem er ihm folgende Worte im heftigsten Tone zurief: »Schweig, du Esel, du wirst mich doch den Koran nicht lehren wollen! Du Hund kannst also das Läuten der Glocke nicht ertragen? Und ihr anderen, seid ihr denn solche Dummköpfe, dass ihr nicht wisst, dass dieser Schuft hier um 50 Groschen Monatslohn selber die Glocke ziehen würde, auch wenn man sie auf seiner eigenen Haustür anbrächte? Hinaus mit dir, und wenn ich nur noch ein ungünstiges Wort über dich höre, so sende ich dich, auf einen Esel gebunden, nach Bassora!« Nachdem die Deputation verschwunden war, wandte sich der Pascha zu mir und sagte: »Es geschieht uns ganz recht, dass dieses fanatische Gesindel so mit uns verfährt, weil es unsere Hand nicht mehr spürt. Du hast ganz recht, es ist Zeit, dass wir gehen.«

In den letzten Wochen von Akif Paschas Amtstätigkeit trafen in Sarajevo an 30 französische und italienische Ingenieure ein, um die projektierte Eisenbahnlinie durch Bosnien und das Sandschak Novi-Pazar, welche an die rumelische Bahn anknüpfen sollte, zu studieren. Oberingenieur Wilhelm Pressel hatte bereits im Auftrage des Unternehmers Baron Hirsch die Vorstudien gemacht.[1]) Die Strecke Novi—Banjaluka war

---

[1]) Vgl. darüber jetzt die interessanten Mitteilungen »In Bosnien vor vierzig Jahren« von Gustav R. v. Gerstel in der »Neuen Freien Presse« Nr. 15915 vom 10. Dezember 1908 S. 22 ff.

schon ausgesteckt, und die Arbeiten hatten begonnen. Die Anwesenheit so vieler lebenslustiger Europäer, von denen viele ihre
Familien mitgebracht hatten, gab unserem orientalischen S a r a -
j e v o ein noch unbekanntes Leben. Ich berechnete im stillen
die ungeheuren Kosten der Bahnstudien und war überzeugt, dass
wir nie eine türkische Lokomotive in S a r a j e v o sehen
würden. —

Namenverzeichnis.

Seitenzahlen ohne römische Ziffer beziehen sich auf das vorliegende Heft; die Ziffer II verweist sie in den vorher erschienenen zweiten Teil der Memoiren, welcher den Titel führt »Aus Bosniens letzter Türkenzeit«. Namen, die Kapitelüberschriften bilden, oder die, wie Mostar, Sarajevo, Stambul (samt Bosporus, Pera usw.), überaus häufig vorkommen, wurden in das Verzeichnis nicht aufgenommen.

Abdi Pascha II 13
Abdul Asis 10. 35. 38. 59. 62. II 25. 52
Abdul Medschid 2. 10
Abdullah Efendi 29
Abdullah Pascha 71
Aesop 2
Agram 28—31. 49. II 70
Ahmed Aga 39. 42
Ahmed Pascha 39
Ahmed Fewsi 2
Ahmed Hamdi Pascha 65. II 11. 12. 15
Ahmed Muktar Pascha II 24—26. 28. 30. 32. 35. 43. 49. 50. 52. 54—56. 59—63
Ahmed Wekif Pascha 54. II 70
Aleksinac II 63
Alexandrien 14
Ali Beg, Kaimekam 39
Ali Beg, Kommissär 15

Ali Pascha, Brigadier II 55. 95
Ali Pascha, Grosswesier 3. 35. 46. 50. 52. 53. 59. II. 39
Ali Pascha, Wali II 24. 29—32. 34. 36. 37. 39. 41. 46. 48—50. 52. 54. 55. 57—61. 63—66. 68
Ali Risa Ef. 10
Alikadić Fehmi Ef. II 100
Alimpić II 56
Andrássy Graf 31. 54. 73. II 34. 36. 39. 43. 65. 66. 77. 78
Anthimos II 64. 96
Arabi Pascha II 2
Arnold 50. 52
Auersperg Fürst 41
Awni Hussein Pascha 40. II 2. 46. 52

Babić Golub II 14
Bačević Maksim II 25. 28. 29
Bagdad 60. II 62

Bakrač-Vasiljević Jovo II 94
Banjaluka 11. 33. 34. 72—74.
    76. II 8. 42. 96
Banjani 38. 58. II 12. 14. 17. 21.
    25. 28. 45. 54
Baruch Jawer Ef. II 66
Bassora 76
Bašagić Familie II 7
Bazias II 51
Belgrad 3. 14—16. 33. 46. 46.
    49. 54. 55. 69—71. II 12. 51.
    53
Berlin II 50. 51. 76—79. 81. 85.
    94. 97
Besarović Risto J. II 94. 100
Beschiktasch 62
Besslm Beg II 26
Betant Charles 72
Beust Graf 15. 54
Bihać 40. 71. II 14. 42. 96
Bilek 58. 65. II. 2. 4. 9. 12. 13.
    16. 17. 20. 21. 26. 60—62
Bismarck II 85
Bišina II 7. 59. 60
Bjelina 11. 72. II 56
Bjelopolje 37
Blagaj II 59
Blau Otto 36. 57
Bocche di Cattaro 38. 42
Bojana II 33. 45
Bosna II 104
Bosnisch-Gradiška 11. 73. II 92
Brčka 11. 14. 27
Breno 23
Brod Slawonisch- 29. 67. II 52.
    85. 86. 107
Brod Bosnisch- 11. 28

Bujak Risto II 99
Bukarest 51
Buna 47
Busovača 28. II 98. 104

Caligula 62
Carina II 25—28. 37
Carlopago 32
Castelnuovo 41—44. II 35
Cattaro 38. 41. 45. II 30. 35. 43.
Cernica II 55
Cetinje 61. 65. 66. II 23, 30—
    32. 35. 36. 44. 46. 53. 62
Chosrew Pascha 2
Cingria II 51
Ciotta 32
Corti Graf II 46

Čajnica II 55
Čeh 31
Čemerlić Mehmed Beg II 96
Čengić Derwiš Beg, später Pa-
    scha 18. 19. 22. 35. II 15. 20.
Čengić Haidar Beg II 7
Čengić Muhamed Beg 22
Čengić Smail Aga II 7
Čengić-Villa 14. 26. 34. 35. II 91.
Čermak II 35

Ćuković Kosta II 70
Ćuković Risto Hadschi II 94

Dabar polje II 11. 55. 60
Dadian Artin Bey II 48. 49
Damaskus 74
Damjanović Gjorgjo Hadschi II
    94
Damjanović Risto II 70

Danilo, Fürst 21
Danilovgrad II 63
Danisch Efendi II 23—27. 39
Dardanellen 2
Daublebsky v Sterneck Heinrich II 67
Dedagini konaci 35
Dervent 28
Derwisch Pascha 58. 59. II 63
Derwisch Beg Teskeredžić 13
Despić Max 64. 68. II 107
Doboj 51. II 104
Donau 14. II 68
Dônja Tuzla 11. II 95. 99. 101
Dozon II 10
Dragalj 38. 44
Dragančić 72. 73
Drama 60
Drešković II 8
Drijeno II 27. 28. 35
Drina 16. 71. 72. II 56
Drobnjaci 17
Dschelaluddin Mustafa Pascha II 62
Dschewdet Efendi 6. 13. II 13
Duga-Pässe 18. 21. 22. II 21. 24
Dulcigno 71
Durando 15. II 10. 37. 38
Durmitor 17. 18
Duži II 12. 26. 27
Džombeta II 11

Edhem Pascha II 50. 51. 68
Elliot II 46
Emin Beg 28. 31. 47. 48
Ergrli Mehmed Said Ef. II 95
Essad Pascha II 5. 9

Fadilpašić Mustafa Beg II 72. 76. 82. 90. 99. 103
Faik Beg II 99
Fasli Pascha II 97. 101
Faweet II 47
Fehim Efendi 71. 73
Pessan 49
Fiume 30—33. 35. II 4
Foča II 54
Fojnica II 55
Port Opus II 38
Franz Joseph I. 27. 38. 73. II 4. 94
Freeman Edward 36. II 92
Frilley Dr. 67. 68

Gabela II 6. 8. 55
Gablenz 31
Gacko 18. 58. II 13. 15. 16. 17. 19. 21. 54. 55
Galanthay Dr. 71
Gluha Smokva II 27. 28. 38
Golja planina 22
Goransko 18
Goražda II 15. 16. 21. 105
Gortschakoff Fürst II 23
Grabovac Stjepan II 65
Grabovac Stojan II 91
Gradačac 10
Gradaščević Hussein Kapetan 10
Gradiška Bosn.- 11. 72. II 92
Gradiška Neu- 28. 30
Grahovo II 54. 58. 63
Gruić II 12. 23

Haas 36
Hadschi Lojo Salih Ef. 55. 56. II 74. 75. 79—81. 86. 89. 91. 93. 94. 100—103, 105

Hadžidamjanović Staka 5
Hafis Pascha II 81. 83—90. 92 —94. 97. 98. 100. 103. 106. 107
Haidar Pascha II 52
Halačević Derviš Aga II 109
Halačević Hadschi Avdija (Abdaga) II 100. 101
Han Bulog II 83
Han na Hreši II 88
Hecquard Hyacinthe 21
Hirsch Baron 76
Holmes 36. II 5. 8. 10. 39. 52
Holzinger II 94
Hrkalović Thomas II 78
Hubmayer Miroslav II 14
Hussein Aga 58
Hussein Pascha II 5. 7
Hussein Awni Pascha 40. II 2. 46. 52
Hussrew Beg Gasi 3. 27

Ibrahim Aga II 91. 92
Ibrahim Beg II 11. 17
Ibrahim Derwisch Pascha II 1— 9. 11. 26. 42. 46. 52
Ibrahim, H. Lojos Bruder II 74
Igalo 43
Ignatieff Graf II 3. 41
Ignatije, Metropolit II 57
Ilidže 14. 25. 27. 70. II 94. 105
Imotski II 40
Irby Miss 69
Isaković Salomon Ef. II 100
Ismail Aga II 56

Jablanica 12. II 94
Jajce II 96. 99. 101. 102

Jamaković Mohamed Ef. Hadschi II 73. 89. 93. 94. 99. 103. 105—108
Janina 2
Jaschar Aga II 91
Jasenove 19
Jastrubow II 10
Javor planina II 56
Jeftanović Dimitrije II 94. 100
Jeftanović Gligorije II 94
Jeni-Pazar 59
Jezera 17
Jonin II 23. 29
Josipović 64
Jovanović General 38. 41. II 38. 39. 99
Jovanović 36

Kakanj II 104. 105
Kállay Benjamin von 54. 55. 71
Kanalesen 24
Kanta-Novaković Risto II 90
Kapetanović Muhamed Aga II 85
Kapetanović-Ljubušak Mehmed Beg II 72. 73. 75—77. 82
Karabeg Hadschi Mustafa Ef. II 95
Karabegović Hussein Beg II 96
Karagjorgjević Petar II 14
Kars II 59
Kasas Hussein Pascha II 27
Kaukdžić Hafis Abdullah Ef. 76. II 73—75. 93
Kiew 33
Kischenew II 68
Kiseljak 28. II 52. 98. 102. 104
Kladanj II 99

Klaić Dr. II 41
Klek II 12. 24. 25. 29. 30. 37.
    44. 63
Klobuk II 63
Klokoti II 101. 104
Kobila glava II 106
Kolašin 65. 68
Königgrätz 13
Konjica II 18. 19. 21. 55. 94. 99
Konstantin Efendi, später Pascha
    24. 61. II 5. 7. 17. 21. 22. 24.
    29. 30. 38. 57. 61. 67 69. 72.
    76. 77. 81. 85. 87. 91—93
Korito II 55
Kosanović Sava 68—71. II 90
Kosjek II 47
Kostajnica II 14
Kovačević Stojan 44. 58. 65. 66
Kozija ćuprija II 83
Kraljević Fra Angjeo II 8. 64
Kreta 27
Krivošije 38. 39
Krstac 23
Kruševica 24. 39. II 13. 21
Kutinje 30

Lalande 2
Lattas Michael 1
Lelović 19
Libanon II 39
Lichtenberg 'Baron II 10
Lim 68
Linz II 40
Lipnik 18. II 15
Lipovo 65. 67. 68. 71
Livajić Hadschi II 100
Livno 10. 11. 38. 40

Ljubibratić Mićo II 12. 22. 23.
    38. 40. 41
Ljubinje 23. II 21. 37
Ljubuški II 37. 40. 55
Loznica 72
Ludwig XI. 3
Lukavac II 6. 10
Lukeš Jan II 38. 40

Magazinović 72
Maglaj 11. 29. 30. II 99
Mahmud Pascha, Grosswesier
    53. 59. 60. II 16. 39. 41
Mahmud Pascha, Muschir II 62
Majevica 11
Makriköi 61
Malo brdo II 33. 45
Marino, Oberst 44
Martić Fra Grga 4. 64. II 88
Martinić II 62
Mashar Pascha II 67—70. 72.
    74. 76—81. 85. 87—89. 91. 92
Matanović Gjuro II 40
Medina 5
Medun II 62
Mehmed Efendi 28
Mehmed Akif Pascha II 1. 2
Mehmed Ali Pascha II 56
Mehmed Ali Pascha von Ägyp-
    ten 2. 35
Mehmea Assim Pascha II 3. 51
Metković II 8. 21. 38. 93. 94
Michael, Fürst 16
Michael, Metropolit 46. 71
Midhat Pascha 26. 60. 61. II 46
    48. 52. 53. 68
Milena Fürstin 66. II 34

Milinković II 67
Miljkovac 19
Miramare II 41
Mitrovica Slawonisch- II 12
Mitrovica Türkisch- II 81
Mokro II 88. 106
Monteverde II 12. 23
Montholon Graf II 46
Morača II 33. 45
Moulin 36
Mrcine 41. 42
Muheddin Pascha II 95
Munib Pascha 15
Murad Beg II 95
Murad Efendi II 90
Murad Sultan II 52. 57
Muratovići 18. II 15
Musitzky II 85
Mustafa Beg II 26. 27
Mustafa Pascha 23
Mustafa Assim Pascha II 2. 3
Mustafa Hulussi Pascha II 95
Muterdschi Mehmed Pascha 61
Mutevelić Hadschi Assim Beg
    II 99

Nako Ahmed Ef. II 75. 107
Napoleon III. 13
Narenta 12. II 38. 55. 56. 58
Nasif Pascha II 65. 66. 68
Naumović Unćo II 99
Nefertara 17
Neu-Gradiška 28. 30
Neukomm 66. 68
Neusatz 70
Nevesinje 18. II 3. 6—9. 13. 14.
    21. 31. 54—60. 70

Nikolaus Fürst 17. 19. 20. 61.
    65. 67. 71. II 2. 3. 14. 22. 24.
    31. 36. 39. 41. 43—45. 48. 50.
    51. 54—56. 58—60. 62
Nikolaus Grossfürst II 68
Nikšić 18. 19. 22. 68. II 2. 21.
    22. 32. 33. 45. 49. 50. 69. 97
Njeguš 65. II 29. 35
Novi 76
Novi-Pazar 17. 59. 68. 76. II 42
Nozdre 22

Ombla II 28. 29
Omer Pascha Serdar Ekrem 1.
    3. 12. 18. 20. 32. 37. II 25.
    29. 31. 43. 48. 56. 66
Omer Fesli 73
Omer Fewsi Pascha 12. 26. 27.
    60
Omerović Mustafa Hilmi Ef. II
    87. 90
Orsova 62
Ortaköi 61
Osman Pascha (Held von Plevna)
    II 3. 4
Osman Pascha Scherif 55. 59.
    73. II 4. 74
Osman Pascha II 56
Osman Pascha II 61. 62
Ostrog 20

Pagen Paul II 94
Pale II 106
Panerazzi Dr. 21
Paris 51. 63. II 30
Paulus Johanna II 23. 40
Pavlović Peko II 21. 23. 25. 26.
    32. 37

Pazarić II 94
Pejović Pero 17. 20. 21
Pelagić Vaso 33. 34
Perović Serafim 47—49
Peršić Anton 37. 43. II 24
St. Peter 31
Petković Luka II 25
Petraki-Petrović Petro T. 74. II 7. 89. 93. 94. 98. 107
Petranović Stevo 70. II 96
Petrinje 28
Petrović, Freiheitskämpfer II 12. 23
Petrović 51
Philippopel II 51
Philippović II 100. 103—105· 107
Pištelić 73
Piva 18. 19. II 12. 14. 21. 25. 45
Plana II 60. 61
Plevlje 17. II 67. 84. 93. 98. 99. 101. 104
Plevna II 3. 69
Pleyel Eduard II 94
Podgorica 68 II 33. 45
Podvelež II 55. 58
Popow 69
Posavina II 95
Pressel Wilhelm 76
Prijepolje II 67
Prokesch-Osten Graf 24. 54
Prolog 11
Pruth II 68

Rača 72
Radonić Stanko 58. II 59
Radulović 73
Radulović Leontije 47—49

Ragusa 12. 21. 23. 32. 38. 40 41. 43. 47. 65. II 4. 12. 21— 26. 28 — 30· 35. 37—39· 46. 48. 49. 54. 61
Ramatal 12
Raschid Efendi, Ziviladlatus 28. 31
Raschid Pascha, Gouverneur 59
Raschid Pascha, Minister II 16. 41. 42. 46. 47. 49. 50. 52. 53
Rašidović Mehmed Ef. 28. II 95
Ravno 18. II 6. 8. 12. 20
Reglia 41. 43
Reichstadt II 53
Reuf Pascha II 15—17. 19—22· 24. 25. 30. 32
Rifat Beg II 95
Rijeka 68
Risano II 58
Ristić, Minister 52
Ristić 51
Rodić Baron 42. 45. II 37. 38. 40. 46. 48. 49
Roskiewicz Johann II 67·
Rousseau 36
Ruschtschuk 26. II 51

Said Bey II 42
Salom Salomon Ef. 74
Saloniki II 52
San Stefano II 70. 71. 76
Save 10. 16. 29. 57
Savić Jovo II 95
Savić Nikola II 95
Schaffhausen 66
Schain Beg 28. 31
Schefket Pascha 18. II 15

Sebenico II 40
Selim Beg 22
Selim Pascha 37. 45. II 9. 10.
 18. 19. 55. 61. 62
Semlin 16. II 51
Seranović Gjorgjo 69
Seres II 11
Serwer Pascha II 11. 17—20. 25
Sinj 38. 40
Sipaćno 19
Sissek 30. 32
Sjenica 68
Skierniewice II 53
Skutari 21. 37. 60. 63. II 16. 39.
 65
Slano II 12. 21
Slatina 10. 26
Slawonisch-Brod 29. 67. II 52.
 85. 86. 107
Soćica Lazar 18. II 25
Softić Salih Aga II 85
Sokolović Sunullah Ef. II 90
Soretich 54
Spagnuolo, Port 44
Spalato 38. 40. II 40
Spizza II 33. 44
Spuž II 33. 45. 63
Srgjevići 58
Steinbrück 31
Stillmann II 23
Stolac II 11. 20. 21. 54. 55
Strautz Anton II 65
Sues-Kanal 38
Sulejman Beg 58. 65. 66
Sulejman Pascha II 69
Sunja 30
Sutorina 38—46. II 12. 13. 21

Svrzo Ahmed Ef. II 101
Szápáry II 101. 104

Šaranci 17
Šavarli 29
Šehović Hašim Ef. 5
Šepak 72
Šuma II 25. 26

Tabak Munla Mehmed II 91
Tara 17
Tašlidža 17. II 67. 84
Tašlidžak Haki Ismail Beg II 73.
 89. 105
Tatar-Pazardžik II 51
Teodorović Svetozar Dr. 55. 62.
 64. 71. 73
Teskeredžić Derviš Beg 13
Tešanj 29
Thoemmel Gustav II 58. 67
Toptschider 16
Travnik 11. 13. 28. 38. 71. II 74.
 80. 96. 99. 102
Trebinje 12. 23. 38—41. 43. II
 4. 9. 12. 13. 16. 17. 21. 25 -
 28. 35. 37. 38. 60. 62
Trebišnjica 41. II 12. 27
Triest II 40. 41. 58. 107
Trusina planina II 6. 9. 55. 59.
 60
Tscherkess Abdi Pascha 17 25.
 II 16. 32
Tuzla Dönja 11. II 95. 99. 101

Ubli II 54. 55. 58
Una II 14
Uzelac Petar II 14
Uzunić Ismet Pascha 13. II 80. 99

Varna II 50
Veliko brdo II 33. 45
Velji kamen 29
Venedig 13
Visoko II 104. 105
Višegrad II 54. 67
Vitez II 104
Vjetrenica 28
Vlastica-Berg II 35
Vranduk 28. 51
Vrbica II 61. 62
Vrgorac II 38
Vući dô II 62
Vukalović Luka 39. 42. II 12
Vukčević Gavro 49

Wagner 31. 32
Wallis Graf 31
Wasa Efendi II 39. 57
Wasić 12. 24. II 10. 65. 77. 78.
    85. 93. 94
Wehbi Efendi II 84. 98. 99. 101.
    104

Weli Pascha II 70. 76. 79—82
Wesselewszky Božidar II 23
Wickerhauser 31
Wien 32. 51. 59. 75. II 29. 43.
    51. 58. 67. 100. 107
Württemberg Wilhelm Herzog v.
    96. 102

Zach II 56
Zaječar II 56
Zalom Han II 55
Zara 32. II 41
Zengg 32
Zenica 28. II 100
Zichy Graf 54. II 46. 49
Zlostup 22. 23
Zupci (sic!) 38. 39. 41. 42. II 13
    21. 25
Zvornik 11. 72

Željeznica II 94
Žepče 47. II 99. 103
Žitomišlić 47. 49

Inhalt.

Seite

Vorwort

I. Scherif Osman Pascha (1860—1869) 1

II. Safwet Pascha (1869--1871) 37

III. Akif Pascha (1871) und Mehmed Assim Pascha (1871—1872) 53

IV. Mustafa Assim Pascha (1872—1873) und Mehmed Akif
    Pascha (1873—1874) . . . . , . . 63

Namenverzeichnis 79